C0-AUI-057

Eva

Édition : Sophie Aumais
Infographie : Chantal Landry
Révision : Élyse-Andrée Héroux
Correction : Odile Dallaserra et Isabelle Pauzé

Catalogage avant publication de Bibliothèque et Archives nationales du Québec et Bibliothèque et Archives Canada

Titre : Eva / Marthe Laverdière.
Noms : Laverdière, Marthe, auteur.
Description : Mention de collection : Les collines de Bellechasse
Identifiants : Canadiana 20190040777
| ISBN 9782761954426
Classification : LCC PS8623.A835318 E93 2020
| CDD C843/.6—dc23

DISTRIBUTEURS EXCLUSIFS :

Pour le Canada et les États-Unis :
MESSAGERIES ADP inc.*
Téléphone : 450-640-1237
Internet : www.messageries-adp.com
* filiale du Groupe Sogides inc.,
filiale de Québecor Média inc.

Pour la France et les autres pays :
INTERFORUM editis
Téléphone : 33 (0) 1 49 59 11 56/91
Service commandes France Métropolitaine
Téléphone : 33 (0) 2 38 32 71 00
Internet : www.interforum.fr
Service commandes Export – DOM-TOM
Internet : www.interforum.fr
Courriel : cdes-export@interforum.fr

Pour la Suisse :
INTERFORUM editis SUISSE
Téléphone : 41 (0) 26 460 80 60
Internet : www.interforumsuisse.ch
Courriel : office@interforumsuisse.ch
Distributeur : OLF S.A.
Commandes :
Téléphone : 41 (0) 26 467 53 33
Internet : www.olf.ch
Courriel : information@olf.ch

Pour la Belgique et le Luxembourg :
INTERFORUM BENELUX S.A.
Téléphone : 32 (0) 10 42 03 20
Internet : www.interforum.be
Courriel : info@interforum.be

03-20

Imprimé au Canada

Dépôt légal : 2020
Bibliothèque et Archives nationales du Québec

ISBN (version papier) 978-2-7619-5442-6
ISBN (version numérique) 978-2-7619-5443-3

Gouvernement du Québec – Programme de crédit d'impôt pour l'édition de livres – Gestion SODEC – www.sodec.gouv.qc.ca

L'Éditeur bénéficie du soutien de la Société de développement des entreprises culturelles du Québec pour son programme d'édition.

Conseil des arts du Canada Canada Council for the Arts

Nous remercions le Conseil des arts du Canada de l'aide accordée à notre programme de publication.

Financé par le gouvernement du Canada
Funded by the Government of Canada | Canada

Nous reconnaissons l'aide financière du gouvernement du Canada par l'entremise du Fonds du livre du Canada pour nos activités d'édition.

Marthe Laverdière

Les collines de Bellechasse

Eva

Roman historique

À toutes les Bellechassoises
et à tous les Bellechassois

Avant de commencer…

Eh oui, je vous reviens avec un autre livre, mais pas un guide de jardinage ! Celui-là, il parle de mon coin de pays, Bellechasse. Un endroit dont on n'entend pas parler souvent. Là où je demeure, il y a des rivières claires et douces, et partout pousse une végétation luxuriante. C'est la Fourche, dans Armagh. Et je l'aime, cette Fourche.

L'histoire que je vais vous raconter est une courtepointe faite de trois récits authentiques que j'ai entendus dans ma vie. Trois histoires qu'on m'a racontées entre deux plantations de concombres, entre deux séances de massothérapie (parce que oui, je masse !), ou juste de même, en jasant sur la galerie. Bon, pour être ben franche, j'en ai remis un peu. Du beurre sur la tranche de pain, c'est pas rien que bon pour faire du cholestérol ! Mais j'ai pas eu besoin de beurrer ben épais : des fois, dans les campagnes, la réalité dépasse malheureusement la fiction.

Cette histoire, donc, se passe dans Bellechasse, ma terre natale. Parce que je la connais bien et que je veux vous la faire connaître. Des fois, j'ai mis des notes en bas de page pour vous donner plus de détails sur l'histoire du temps, des affaires que je trouvais intéressant de partager avec vous. Ça fait que si vous êtes prêt à lire le roman d'une jardinière qui est devenue conteuse, attachez vos tuques avec de la broche… Ou plutôt, étant donné que je nous transporte au début du siècle dernier, calez vos capines sur vos têtes, on est partis!

Marthe xxx

Chapitre 1

La neige tombait en rafales. Le vent sifflait à travers les sapins. Le ciel était couleur d'encre, on voyait pas à vingt pieds devant soi. Le cheval du docteur Patry avait de la misère à avancer, mais le médecin du village avait l'habitude de ce genre de tempêtes. Rien pouvait l'empêcher d'aller voir sa patiente qui délivrait. En ce soir de février 1898, Cléophas Audet, du rang de la Fourche, était venu l'avertir quand les douleurs avaient commencé.

À la mi-quarantaine, le docteur Patry faisait plus vieux que son âge. On lui aurait facilement donné dix ans de plus. À Saint-Cajetan-d'Armagh, on vieillissait avant le temps. En paroisse de défrichage, il fallait trimer dur pour subsister, et les patients du docteur mouraient souvent plus jeunes qu'ailleurs. Chaque fois, le médecin en prenait une ride. C'est pas mêlant, sa face tenait de la pomme passée date. Dire qu'il avait déjà été bel homme.

« Icitte, c'est le début de l'enfer », pensa-t-il.

Plus il avançait sur le chemin croche du rang, plus la tempête prenait de la vigueur. Les bancs de neige[1] étaient deux fois gros comme ceux de l'année d'avant. Le docteur avançait quand même petit à petit, manœuvrant son cheval du mieux qu'il pouvait. Il voyait rien au loin, pas une seule lumière pointait à l'horizon. Dans le rang, les bicoques étaient éparses. Comment appeler autrement ces mauvaises cabanes qui servaient de maisons aux pauvres colons ? Il y avait ben quelques constructions neuves, mais pas beaucoup. Dans le haut du comté de Bellechasse, le paysage, c'était des terres de roches à perte de vue et des talles d'épinettes ravagées par les insectes. Pourtant, on avait promis aux colons le bonheur en les établissant là, les autorités s'étaient montrées convaincantes.

Maudit gouvernement ! Les délégués disaient : « À Saint-Cajetan, on vous donne les terres et, pour un peu de jus de bras, vous serez propriétaires. » Pauvres fous qui y avaient cru ! On leur donnait la misère et le cimetière en partage, oui. Le genre de place où, à quarante ans, t'es vieux ; à soixante, t'es un vieillard, et à soixante-dix, t'es un miracle. Combien de fois le docteur avait fermé les yeux de pauvres paysans épuisés avant leur temps ?

« Si la vie icitte était plus facile, on aurait moins de pierres tombales piquées drette deboute au cimetière », pensait Patry.

À force d'avancer dans la neige à hauteur de mânnoires[2], il vit une petite lueur apparaître au loin, mais presque rien. C'est là qu'il était attendu. Pauvre homme, il aurait tellement préféré ne pas venir. « Mais il faut ce qu'il faut, se disait-il. Par chance qu'y

1. À Saint-Cajetan-d'Armagh, en 1898, les chemins étaient laissés un peu à l'abandon, les octrois pour déblayer les routes durant l'hiver étaient ben rares. C'était pas faute d'avoir demandé l'aide du gouvernement, mais en terre de colonie, il fallait s'armer de patience et de courage, particulièrement pour traverser les hivers longs de six mois.

2. Des mânnoires, ce sont les montants en bois de l'attelage, qui relient le cheval à la voiture.

fait nuit, sans doute qu'on m'a pas vu passer. Les naissances pas voulues, c'est pas des choses qu'on aime montrer... »

Eh oui, c'était la fille de Cléophas Audet qui allait débouler. Sa mère était pourtant sage-femme, mais puisqu'il s'agissait de sa fille, « elle se fait pas confiance », avait dit le vieux père. C'était au docteur d'y voir. Pauvre médecin. Tant de fois il avait vécu ce moment qui, toujours, lui ravageait le cœur.

On avait pris soin d'allumer juste une petite lampe à huile sur le bord de la fenêtre de la cuisine. Même si on était la nuit, on voulait surtout pas alerter les voisins. Les commérages allaient bon train, surtout dans le fond du rang de la Fourche.

Le docteur regarda la maison et soupira. Rendu devant la porte, d'un coup sec, il tira sur les cordeaux.

— Back, Ti-gars, back! Bouge pas, j'vas t'mettre ta couverte su'l dos. Y fait un frette de canard, pis la nuit s'annonce longue...

Lentement, l'homme se leva, attrapa la vieille couverture et couvrit son cheval. Il aurait ben voulu le mettre dans l'étable, mais le bâtiment était grand comme un mouchoir de poche.

Il attrapa sa trousse de médecin. Elle avait les coins tout rabougris; ça faisait une vingtaine d'années qu'il la traînait partout. Pour lui, elle avait une grande importance. C'était sa mère qui la lui avait donnée le jour de la remise de son diplôme.

— Avec une trousse comme celle-là, lui avait-elle dit, tu auras une brillante carrière!

Patry se frotta le visage. Une brillante carrière, mon œil. À la fin de ses études, son titulaire lui avait conseillé d'aller parfaire sa science à Sainte-Claire avec le bon docteur Côté. Le bonhomme en question courait quatre paroisses à lui tout seul, d'où son urgent besoin d'avoir un collègue sur qui se décharger un peu. Ça ne manquait pas d'éclopés, de pneumonies ni de femmes à accoucher dans le coin. De Sainte-Claire en passant par Saint-Lazare, et oups! un p'tit détour à Honfleur et un autre à Saint-Malachie... Il était toujours sur la trotte. Ah, la paroisse de Saint-Malachie était plus intéressante que les autres, parce qu'il y avait là quelques commerçants de bois assez aisés qui y habitaient. Et qui payaient rubis sur l'ongle. Le docteur Côté était ben d'accord pour être dédommagé en poules et en catalognes de temps en temps, mais de l'argent sonnant, ça faisait du bien en masse.

Mais au bout d'un an et demi à partager ses patients (et les billets de banque) avec son jeune collègue Patry, il avait subtilement recommandé à son protégé d'aller appliquer son serment d'Hippocrate plus haut dans le comté. Justement, Saint-Cajetan-d'Armagh était dans le besoin.

Les années avaient passé et Patry, à défaut de s'être enrichi, avait donné le meilleur de lui-même et s'était senti utile.

Il se retourna pour regarder la maison. La galerie avait pas été déblayée. On aurait peut-être préféré que personne vienne... Le docteur se fit un chemin à travers la neige et attrapa la rampe en bois. Les marches craquèrent, on aurait dit le glas sonnant déjà. Cette nuit, c'était pas la vie qui arrivait dans cette chaumière, c'était la mort qui allait passer, comme l'exigeait le curé Tardif.

C'était déjà écrit dans le ciel : ce bébé à naître serait mort-né.

Pas de cérémonie au cimetière, pas de veillée sur les planches, rien que le silence pour pas que le monde sache qu'Eva Audet était revenue de Québec grosse de son boss. C'était monsieur le curé qui était allé la chercher en ville trois mois plus tôt, en novembre, à la demande de la bourgeoise chez qui il l'avait placée. La jeune Eva s'était plainte un jour de maux de ventre à sa patronne. La bonne femme s'était mise à la tâter. Misère, ça bougeait là-dedans. Elle avait vite fait son idée : pas question de garder une dévergondée chez elle. Eva était donc revenue sans ses gages. Le curé avait dit à ses parents de la mettre dans la cave. Elle avait bien six mois de faits.

Le docteur Patry cogna à la porte. Pas de réponse, mais une longue lamentation : c'étaient les cris de la petite mère qui résonnaient. Par chance, le voisin le plus près était bien à un demi-mille. Et il tempêtait assez pour étouffer tous les bruits.

« Tu peux crier, pauvre fille, songea Patry, ton p'tit, lui, y aura même pas ce luxe-là. »

Il entra dans la maison sans cérémonie. Sur le bord de la porte traînaient de vieilles bottines pleines de trous. Celui qui les portait devait trimer fort. La pauvreté se voyait partout dans la cuisine ; rien de superflu, sauf un set de vaisselle qui trônait fièrement sur un modeste bahut. Un héritage, sûrement, parce que les Audet, c'était connu, il y avait pas une cenne qui les adorait.

Faut dire qu'ils avaient pas été chanceux. Partis de Saint-Raphaël en 1883, les époux avaient choisi de s'établir à Armagh. Mais avec huit cents piastres, on va pas loin. Tout ce qu'ils avaient pu marchander, c'était une terre à moitié défrichée dans le rang de la Fourche, avec des bâtiments de misère à moitié mangés par les vers à bois. Une vieille propriété d'une cinquantaine d'années, construite par un quelconque descendant d'Irlandais[3] écarté de son chemin. La maison pourrissait presque debout, car au lieu d'avoir mis de l'étoupe entre les pièces de charpente, on avait mis de la mousse même pas fabriquée avec un rang de planche. C'est à croire que le charpentier était mort d'une crise de cœur avant d'avoir fini son ouvrage. « Bah ! avait dit Cléophas à sa femme, j'en construirai une autre rapidement ! » Sauf qu'un an plus tard, alors qu'il était pour s'y mettre, la foudre était tombée sur sa grange durant la nuit et avait brûlé murs et bêtes. Par chance, les voisins avaient fait une corvée pour reconstruire, mais ça avait

3. Là, vous vous demandez pourquoi un Irlandais serait venu se perdre dans le fin fond de Bellechasse ? Ben sachez en premier qu'Armagh, c'est le nom d'un chef-lieu d'un comté dans la province de l'Ulster, en Irlande. Si notre village porte un nom irlandais, c'est que le territoire du canton d'Armagh (le nôtre) fut donné à un Irlandais, après la Conquête de 1760 par les Britanniques, pour « services rendus ». Pratiquement personne ne désigne le village par son nom au complet, « Saint-Cajetan-d'Armagh », c'est long sans bon sens. Ah, pis en passant, on prononce « Armâ » et non « Armague », c'est ben plus joli.

quand même mangé tous les bénéfices engrangés pendant l'année. La maison neuve avait dû attendre.

Et elle attendait encore. Pour l'heure, on faisait comme on pouvait pour vivre dans cette passoire, en bouchant les craques dans les murs et le plancher avec des vieux journaux pour pas que la neige rentre de partout. Des journaux sûrement ramassés quelque part juste pour ça, car les parents Audet savaient pas lire. La misère n'a pas d'instruction.

Dans le coin de la cuisine, un vieux poêle tentait de ne pas s'éteindre. Des rondelles de bouleau blanc fraîchement sciées, c'est pas avec ça qu'on a chaud. Le docteur finit par remarquer au fond de la pièce, assis sur un banc, le père Audet qui pleurait à chaudes larmes, ses vieilles mains étampées sur son visage. Il avait beau se cacher, le pauvre homme braillait sa vie, les épaules basses et les cheveux en broussaille. C'était sûr qu'il n'avait pas dormi depuis longtemps.

— Qu'essé qu'on a fait au ciel pour mériter ça ? bafouilla-t-il entre deux sanglots. On est des bons chrétiens, des bons parents… Savez-vous ce que c'est que de cacher sa fille pendant des mois pour pas qu'on la voie ? Durant l'hiver en plus ? Je ferais même pas ça à mon chien !

Dès le retour de sa fille aînée, la mère Audet l'avait mise dans la cave, et elle avait fait croire à ses trois plus jeunes qu'il y avait un fantôme en bas et qu'il fallait pas y aller. Les petites devaient continuer de penser qu'Eva était à Québec. « Que j'vous vouèye pas descendre dans' cave ! » avait-elle dit à ses filles sur un ton de menace. Mais les petites, elles l'avaient quand même vu, le fantôme. C'était Eva, bien sûr, enceinte comme une femme mais encore enfant, qui avait imaginé pour se distraire, un soir, de se mettre un drap sur la tête et de se promener autour de la maison. Il n'y avait qu'à la nuit qu'elle pouvait sortir de sa réclusion. Les fillettes, évidemment, avaient hurlé de terreur.

Cléophas cherchait l'approbation dans les yeux du docteur. Pauvre homme ! Il essayait de se justifier tout en jonglant et en tentant de comprendre ce qui arrivait à sa famille.

— Fais-toi-z'en pas, dit le médecin. T'as faite de ton mieux. Là, faut que j'aille m'occuper de ta fille.

« De ma fille... pis de mon p'tit-fils ! » se dit Cléophas, avec espoir. Tout était pensé. Avec sa femme, il avait pas eu de fils. Pas de vivant, en tout cas. Elle en avait porté pourtant, trois fils après Eva, mais ils étaient tous morts dans le ventre de leur mère. L'enfant d'Eva, un fils, il en était certain, serait le leur.

— On va garder le bébé, avait annoncé un Cléophas bien décidé.

— On peut pas, avait répondu sa femme, les gens vont jaser !

— Penses-y ! C't'un p'tit gars, je l'sens. On pourrait dire que c'est ma cousine de la ville qui est morte en couches et qu'on le prend avec nous autres. Ça me fera un héritier. Pis dans pas long, de l'aide pour la ferme.

— Peut-être ben, avait répondu la matrone après un temps de réflexion. Mais je t'avertis, si c'est une fille, on la donne. On en a déjà quatre pis on arrive ben juste à vivre.

Pendant les trois mois restants de la grossesse, la mère Audet, pétrie par la honte, avait pratiquement ignoré Eva, cachée dans la cave. Une fille-mère dans sa maison ! En revanche, tous les soirs, Cléophas descendait parler avec sa grande, sa fille préférée. Il avait pris sur lui de lui expliquer de son mieux les choses de la vie. Il lui avait dit que les hommes sont pas comme les femmes. Qu'ils ont un morceau qui pend entre les deux jambes et qui vient dur de temps en temps. Et que s'ils le rentrent dans la femme, ben ça fait un enfant. C'est seulement à ce moment-là qu'Eva avait compris comment elle s'était retrouvée enceinte sans avoir même jamais embrassé un garçon sur la bouche. Bâtard.

— Ça va aller, hein ? demanda Cléophas au médecin qui s'apprêtait à se rendre dans la chambre.

— T'en fais pas, mon vieux. J'ai l'habitude des naissances.

Oui, il avait l'habitude. Des naissances heureuses, et des autres. Le docteur connaissait déjà le dénouement de cet accouchement-ci. Gars ou fille, il n'y aurait pas de bouche de plus à nourrir chez les Audet. Rien qu'un trou à creuser quelque part sur la terre, loin des yeux des fouineux et, surtout, loin des souvenirs qui s'annonçaient cruels. À Saint-Cajetan-d'Armagh, il y avait pas ça, des enfants illégitimes... Il y en aurait jamais, car depuis quinze ans, le curé du village y voyait.

— Fais-moi chauffer de l'eau pis donne-moi des linges pour me laver les mains. Ta femme est-tu en haut avec ta fille? demanda Patry en roulant ses manches de chemise jusqu'aux coudes.

— Oui, depuis après l'souper. J'avais hâte que vous arriviez, même si ma femme me répète que c'est long, un premier.

Le père Audet se mit à chercher des guenilles propres dans le bahut. Des guenilles, c'était pas ça qui manquait dans la maison. Un vieux drap déchiré attira son attention. Déchiré... comme sa vie ce soir... Mais l'arrivée imminente d'un fils lui donna du courage. Il mit une grosse bassine d'eau sur le poêle, fallait pas en manquer. C'était les seuls soins qu'il pouvait donner à sa fille, lui fournir de l'eau chaude. Avec précaution, il posa le chaudron sur la seule source de chaleur de la maison.

— J'm'en vas y donner une volée avec des rondins de bouleaux pis l'eau va t'être bouillante ben vite!

En chauffant son L'Islet, il avait l'impression de faire quelque chose d'utile. Il aurait tant aimé vivre la première naissance de cette nouvelle génération dans la joie. Être grand-père devait être émouvant, pour d'autres sûrement. Mais pas pour lui, pas dans ces circonstances-là.

Bientôt, l'eau chauffa à gros bouillons. Le docteur s'engagea dans l'escalier d'un pas lent, puis il s'arrêta. On aurait dit qu'il était pas pressé pantoute d'aller accoucher la pauvre fille. Sur son visage, une ombre de fatigue planait. De fatalité, même.

— Amène l'eau dans' chambre en haut. Pis en passant, tes autres filles sont où?

— Elles dorment dans' grange, j'veux pas qu'elles entendent ça. On leur a dit qu'leur sœur était r'venue de Québec parce qu'elle avait attrapé des coliques cordées. D'même, y ont pas chigné pour aller dans' grange. Elles vont être ben, pas loin des mères moutonnes, pis ma femme leur a mis des bonnes couvartes.

— T'as ben faite. Ces affaires-là, y faut pas en parler aux enfants. Le moins y z'en savent, le moins y bavassent. Monte les guenilles, pis amènes-en en masse. La première fois qu'elles accouchent, souvent, elles saignent pas mal.

Et le médecin continua de monter les marches.

Le vieux Audet sentit ses jambes ramollir. Pourvu que la petite ne se vide pas de son sang... C'était pas rare de voir la mère amener son enfant naissant avec elle dans la mort.

Il mit la main dans sa poche et saisit son chapelet. On pouvait pas dire de lui qu'il était un rongeux de balustre, contrairement à sa femme dévote pour qui le curé était presque le bon Dieu. Mais là, il sentait qu'une prière ne serait pas de trop. Il tourna ses yeux vers une image de la bonne sainte Anne accrochée au mur près du poêle.

— Protégez ma p'tite, s'y vous plaît, murmura le vieux père.

Sur le palier, Patry marqua une pause le temps de prendre un grand respir, puis il frappa à la porte de la chambre pour s'annoncer. En pénétrant dans la pièce, tout son professionnalisme remonta à la surface. Il constata que le travail allait bon train. La petite contractait bien, et sa mère lui tenait fermement la main. Il s'attarda à regarder son visage. Elle avait tout juste quatorze ans. La sueur collait ses cheveux bruns sur son front, des larmes noyaient ses grands yeux de biche affolée. Quel gâchis! « Elle va être marquée au fer rouge pour le restant de sa vie! C'est rien qu'une enfant, bonyenne! »

Il s'approcha doucement de sa patiente. Pas question de lui faire peur, elle était déjà assez effarouchée de même. Il prit le temps de lui caresser la main avec bonté. Elle tremblait comme une feuille, mais il la regarda dans les yeux pour la rassurer.

— Tu sais-tu ce qui va t'arriver, ma petite? demanda-t-il.

— Oui, c'est l'heure du bébé. Y va-tu sortir par mon nombril?

Patry regarda la mère Audet avec répugnance, et la paysanne baissa les yeux. « Maudite ignorance ! C'te bonne femme-là veut vraiment rien savoir d'expliquer quoi que ce soit à sa fille, hein ? » La vieille était pas la seule mère renfermée ainsi. Sous prétexte de protéger la pureté de leurs filles, les femmes ne leur disaient rien de la vie. C'était comme les livrer en chair à pâté au premier vaurien.

— Non, répondit le docteur, y va sortir par où y est rentré. Monsieur le curé m'a dit ce qui s'est passé.

La future maman se crispa.

— Y m'a chicanée ben fort, j'comprends pas... Dites-y, vous, maman ! Le curé, y'a pas été fin avec moé !

La bonne femme Audet se raidit.

— J't'interdis de parler d'même ! Y veut protéger ton âme, ma fille. Un jour, tu vas comprendre...

Mais la petite voulait raconter son histoire, comme pour chasser de mauvais souvenirs. Ou pour attirer la clémence du médecin. Ou bedon les deux.

— Le boss, y tapait fort, mais la dame était fine jusqu'à tant que mon ventre se mette à grossir. Là, elle m'a giflée, pis elle m'a traitée de p'tite garce. Comprenez-vous ça ?! Elle m'a mise dehors, moé qui ai jamais rechigné sur l'ouvrage !

— Tais-toé, lui dit sa mère, tu comprends rien !

Mais le docteur, lui, avait compris. Il imaginait la scène aisément : un gros pervers qui remonte les jupes de la servante, une jeune innocente qui ne sait pas ce qu'est l'acte sexuel et encore moins le viol, une bourgeoise qui ferme les yeux par commodité. Pour sûr qu'Eva comprenait rien, personne lui avait rien expliqué.

— Pense pus à ça, Eva. Là, y a un p'tit qui veut sortir. Pis ça va faire mal. Ça fait que, entre les contractions, faut que tu t'reposes. Plus tu vas t'détendre, mieux ça devrait se passer. Tu comprends-tu c'que j'te dis ? demanda le médecin.

Eva se cambra soudain, puis se recroquevilla sur elle-même comme pour se protéger du mal.

— Eva, va falloir que tu ouvres les jambes pour que j'regarde où le bébé est rendu, dit le docteur. Je sais, c'est gênant. Je veux juste voir le bébé.

La petite avait peur et, surtout, elle avait honte. Personne l'avait jamais regardée comme ça. Le docteur sortit son iode et badigeonna l'intérieur de ses cuisses.

Après plusieurs poussées et de nombreux cris, on vit apparaître le dessus de la tête du nouveau-né. Les cheveux collés aux tempes, Eva arrêtait pas de pousser. Prenant de grands respirs entre les contractions et suivant les encouragements du médecin, elle y mettait toute sa force. Le docteur Patry la regardait d'un air désolé. Dans quelques minutes, tout serait fini. Un frisson parcourut son échine devant l'imminence du geste qu'il s'apprêtait à faire. Ses mains tremblaient alors qu'il guidait la tête du bébé dans l'étroit passage.

« Faites que la nature me devance, pensa-t-il, faites que j'aie pas à l'étouffer. »

Mais l'enfant se montrait combatif. Il voulait vivre.

— Va en bas me chercher de l'eau pis des draps chauds pour couvrir le bébé, ordonna le docteur à la bonne femme Audet. Y fait frette comme c'est pas permis icitte.

La matrone se redressa tout d'un coup. Sentir arriver son petit-enfant lui redonnait du courage. Même si elle en voulait à Eva depuis des mois du tourment qu'elle lui apportait, elle avait dans les yeux une étincelle de joie commune à toutes les mères qui viennent de mettre au monde un nouveau-né, même si ce n'était pas le sien. La vie est forte, et dans la misère, elle l'est encore plus.

Aussitôt que la vieille fut descendue, le médecin sortit une petite bouteille de chloroforme de son sac. Il en versa quelques gouttes sur un mouchoir avant de le porter au visage d'Eva.

— Respire-moi ça, ma petite. La prochaine poussée va te faire moins mal si t'es un peu étourdie.

Eva respira le tissu, puis fut agitée d'une dernière cambrure avant que son corps déformé retombe sur les draps pleins de sang.

Elle venait de mettre au monde un beau garçon ben rose, ben beau, ben vivant.

La jeune maman était presque sans connaissance ; ce fils qui lui avait déchiré les entrailles était très costaud. Dire que ça aurait pu être un grand gaillard dont la maisonnée aurait été fière ! Il aurait pu rendre bien des services sur la terre. Mais ce n'était pas son destin.

Le docteur Patry agit vite. Alors que l'enfant reposait sur le matelas entre les cuisses de sa mère, il empoigna l'oreiller laissé sur le coin du lit et, vidant son esprit, il recouvrit l'enfant en y mettant une légère pression. Le nourrisson ne connut pas d'autre sensation.

Ce devait être un enfant mort-né, comme tous les bébés nés hors mariage à Saint-Cajetan. C'est monsieur le curé qui voulait ça, car il fallait protéger les mœurs à tout prix. Même si, pour y arriver, il fallait employer d'horribles moyens. Un dernier soubresaut et voilà, tout fut terminé. Le petit corps se ramollit. La vie l'avait quitté pour de bon. Le médecin baissa les yeux.

Bien vite, on entendit madame Audet remonter l'escalier. Le docteur se débarrassa de l'oreiller. Ce qu'il restait de son crime, c'était un petit corps sans vie, encore relié à la mère par le cordon. La bonne femme apparut dans le cadre de porte et regarda le médecin. Puis l'enfant. Puis sa fille. Elle avait pourtant cru entendre un gémissement quand elle montait l'escalier. Ce devait être le vent. Elle serra très fort les couvertures qu'elle avait elle-même tissées pendant les mois d'attente. Elle les avait faites pour le nouveau-né. Pour son fils… Elles ne serviraient pas. Ses doigts se recroquevillèrent sur la laine douce. Eva geignit doucement, brisant le silence lourd dans la chambre.

— Mon bébé… Maman, donnez-le-moé, j'veux mon bébé… C'est-tu une fille ou un garçon ?

Le docteur Patry se redressa et dit, d'une voix à peine audible :

— C'est rien, ma petite, y est mort-né. C'est mieux d'même.

Eva, les cheveux devant les yeux, se releva péniblement sur ses coudes. Elle tremblait, vidée de ses forces.

— J'veux le voir, dit-elle, les yeux agrandis par la terreur.

— Reste tranquille, répondit le médecin. Je vais masser ton ventre pour que tu délivres.

Le cœur serré, madame Audet s'approcha pour consoler sa fille, pendant que le docteur séparait le bébé de la matrice.

— Tu devrais pas le r'garder, lui dit-elle, tu vas en garder un mauvais souvenir.

D'un seul geste, la grand-mère prit le bébé et se dépêcha de le cacher sous les couvertures de laine. Dans son esprit, la vue du cadavre risquait d'être traumatisante, insupportable pour sa fille. Eva était trop jeune pour affronter la mort de même. Madame Audet sortit en vitesse de la pièce, laissant sa fille avec le médecin. Elle dévala l'escalier, cherchant des yeux son époux, et dans un cri de tristesse lui dit :

— On est maudits, Cléophas ! C'était un fils, pis lui aussi y est mort-né ! Comme les trois nôtres ! On est maudits du ciel !

Elle serra et berça contre elle le petit corps inerte, la chair de sa chair, le sang de son sang. Même si elle avait maudit sa venue pendant des mois, cet enfant-là était quand même le sien. D'instinct, elle agita légèrement l'enfant pour le faire revenir à la vie.

Le père Audet s'approcha doucement, comme pour ne pas réveiller le petit. Il regarda sa femme et lui dit :

— Donne-le-moé, ma vieille, j'vas m'en occuper.

Sa femme le regarda, désemparée.

— Tu vas en faire quoi ? T'as pas de cercueil de prête pour lui !

Les larmes aux yeux, Cléophas prit délicatement son petit-fils.

— Son cercueil, tu l'as tissé tout l'automne avec la laine de la brebis. On demanderait pas mieux.

Le docteur Patry descendit l'escalier d'un pas lourd. Il avait, en son âme, tout le poids de l'amertume. « Maudite misère, maudite vie ! Maudit curé à marde ! » jura-t-il en son for intérieur.

— Donne le bébé, murmura-t-il à la vieille, pis va laver ta fille. Elle a saigné comme un cochon.

Il mit la main sur l'épaule du bonhomme Audet en pensant alléger sa peine.

— Viens, Cléophas, on va aller l'enterrer avant que le jour se lève. De même, les voisins sauront rien.

C'était pas la première fois que ça se passait ainsi. C'était toujours mieux quand ça arrivait la nuit.

Le docteur Patry ouvrit la porte, qui grinça comme pour raconter à tout le monde ce qui venait de se passer. En boutonnant son parka, il reprit le contrôle de ses esprits. Il était médecin, et les médecins avaient leurs secrets. Quand il arriverait chez lui, il ferait ce qu'il faisait chaque fois qu'il mettait un terme à une jeune vie : il s'étourdirait avec du cognac. Il méritait ben ça, le « bon » docteur du village.

Monsieur Audet le suivit dehors avec, dans ses bras, le nouveau-né. Il l'emmaillota chaudement et recouvrit sa petite tête encore humide.

Les deux hommes s'enfoncèrent dans le boisé derrière la maison. Au pied d'une grosse épinette qui tenait son bois au moins trente pieds de haut, ils creusèrent de peine et de misère un trou dans le sol gelé. On aurait dit que la terre voulait pas être complice de cette mort. Après une bonne demi-heure d'efforts, le grand-père réussit à grands coups de pioche à faire un trou assez profond pour recevoir le petit corps. Il y installa un matelas fait d'une branche d'épinette et y déposa le bébé. C'est là que reposerait, pour l'éternité, son petit-fils. Il n'aurait même pas reçu de nom, pas de messe, pas de sympathies.

« Au fond, y a jamais existé, cet enfant-là, essaya de se convaincre Patry. Il faudra que la famille fasse comme si c'était un mauvais rêve. »

Le médecin regarda le vieux se frotter les mains gelées. Sur ses joues, des larmes traçaient de longs sillons.

— T'as ben creusé, mon Cléophas, les coyotes viendront pas l'chercher.

À ces mots, un frisson parcourut le dos du vieux. Il regarda dans le bois aux alentours. « Seigneur, pensa-t-il, sauvez-nous de d'ça ! »

La tempête s'était calmée. Il tombait à présent une neige digne d'une messe de minuit. Le ciel accueillait un ange, mais on ne devrait pas en parler. Cléophas se tourna et marcha lentement vers la maison pendant que le docteur Patry, avec une branche de sapin, effaçait leurs traces dans la neige. Comment vivre sans vouloir mourir après cette nuit ?

Le vent sifflait dans les branches, et ce fut là le seul chant de la cérémonie funèbre.

Chapitre 2

Il faisait beau en ce matin de mai 1908. Le soleil dardait toute la nature de ses rayons. Les pissenlits commençaient à fleurir, les rouges-gorges sautillaient sur l'herbe. La mère Audet avait même ouvert les fenêtres pour faire entrer un vent frais dans toutes les pièces. La brise agitait les rideaux. La maison neuve avait été construite quelques années avant, grâce à des profits réalisés sur la vente des bestiaux. La famille avait amélioré sa situation, même si certains printemps, elle tirait un peu le diable par la queue comme les autres habitants de la Fourche.

Le cheval qui tirait la calèche de Ti-Zoune, le colporteur officiel, arriva au petit trot chez les Audet. Ti-Zoune avait toujours dans ses malles des bottines, des chaudières, du savon, de la vaisselle, mais surtout, il était la gazette sur pattes du coin. Il savait les derniers potins, qui avait vendu quoi, qui s'était marié à qui, il pouvait remonter par cœur la lignée de n'importe qui dans le comté jusqu'à la quatrième génération. C'était de la bonne pâte d'homme, comme on dit, à la fonction indispensable, surtout dans les rangs reculés. Chez les Audet, tout le monde l'aimait bien, sauf la matrone, évidemment.

— Bien l'bonjour, la compagnie! fit le colporteur en descendant de voiture. Quoi d'neuf par cheu vous?

Il fut aussitôt accueilli par les quatre demoiselles et leur mère. Il avait toujours la même impression en les voyant : une couvée de jolis poussins réunie autour d'une vieille poule rachitique. C'était à se demander où ces filles-là avaient pris leur beauté.

— Passe ton chemin, vieux fatigant, lança la bonne femme, les poings sur les hanches. On n'a besoin de rien, icitte.

— Même pas des dernières nouvelles à propos de l'accident de dynamite[4] ? Y en a qui disent que...

— Non, même pas de d'ça ! coupa court la mère Audet. Les mauvaises nouvelles, tu peux les traîner ailleurs.

Mais ses filles, elles, étaient d'un autre avis.

— Maman, on aurait besoin de rubans pour nos cheveux, dit Anita, la troisième fille Audet, belle comme un bouton d'or avec sa chevelure blonde.

— T'es trop fière ! lui dit sa mère. Tiens ta place. T'attacheras tes nattes avec des restes de chemise, comme les autres.

Ti-Zoune ne se laissa pas décourager. Il avait l'habitude des clientes rébarbatives.

— Tu veux même pas r'garder mes ustensiles neufs ? offrit-il encore à la vieille acariâtre, pendant que les filles furetaient dans la carriole. J'ai des cuillères à trous... pas piquées des vers ! Ha ! ha ! ha !

— Rien pantoute, renchérit la mère Audet, peu amusée par l'humour du commerçant. J'ai pas d'argent pour tes cossins. J'ai même pas de foin pour ton cheval. Envouèye, passe ton chemin.

Ti-Zoune comprit que c'était peine perdue. Et même s'il avait envie d'étriver la vieille encore un peu, il décida de poursuivre sa route : peut-être qu'il ferait des affaires chez les voisins et serait même invité à rester pour dîner ? Il sortit quand même de son sac un petit chapelet.

4. L'accident de dynamite, je vais y revenir au début du chapitre 5. Un peu de patience !

— Tiens, dit-il à Annette, j'te l'donne. Tu prieras pour moé. J'ai des cors aux pieds qui m'font souffrir. Une p'tite prière, ça peut pas faire de mal.

Annette, la deuxième de la famille, sourit et le remercia. C'était un secret pour personne qu'elle voulait entrer en religion.

— Ben, avec tout ça, j'm'en vas. Bien le bonjour, « medames ». Vous irez prendre vos nouvelles au village ! À' r'voyure !

Ti-Zoune rembarqua dans sa voiture et huma l'air comme pour décider quelle direction il allait prendre. Un vrai clown, toujours à faire rire. Eva le regarda s'éloigner, le sourire aux lèvres, jusqu'à ce que son regard s'accroche à un bouquet de fleurs en tissu accroché au montant de la carriole. On aurait dit un bouquet de mariée, fané.

Dix années avaient passé depuis la nuit où, ayant mis au monde un enfant mort-né, Eva s'était résignée : jamais elle ne se marierait. Puisqu'elle était impure, jamais elle n'aurait droit au bonheur.

Pendant les trois mois qu'elle avait dû passer dans la cave pour finir sa grossesse, elle avait appris à aimer et à chérir son petit selon les recommandations de son père. L'enfant avait laissé une empreinte dans sa chair, mais aussi dans son esprit, et il lui manquait encore chaque jour. Quand elle était en bas, elle s'était souvent flatté le ventre en chantant doucement des berceuses à son bébé, en faisant attention de jamais être entendue. Elle l'avait senti remuer, elle l'avait senti lui répondre. Elle avait eu hâte qu'il naisse, elle se réjouissait à l'idée d'en prendre soin, même si son père lui avait bien dit qu'aux yeux de tout le monde, il faudrait le faire passer pour un orphelin recueilli par charité chrétienne. Oui, oui, oui, elle comprenait bien.

Eva ne pourrait jamais mettre un visage sur son fils. On lui avait pas donné le droit de le regarder, sous prétexte de pas vouloir la faire souffrir. Ben voyons donc ! Comme si elle souffrait pas de sa mort, de toute façon ! Elle aurait dû insister, tenir tête à sa mère. Elle aurait dû prendre son bébé et le bercer. Mais non. La vie – et l'autorité parentale – en avaient voulu ainsi.

Longtemps, elle avait maudit son boss de Québec. Elle l'avait haï, mais s'était bien abstenue de s'en confesser. Elle le haïssait encore, d'ailleurs. Elle se sentait tellement naïve de n'avoir jamais résisté à ses assauts. Combien de fois, en l'accusant d'avoir mal travaillé, le vieux bourgeois lui avait plaqué le ventre sur la table de la cuisine et, retroussant sa jupe, l'avait tapée très fort sur les fesses ? Elle pensait qu'endurer était ce qu'il fallait faire pour garder sa job afin d'envoyer de l'argent à la maison. Elle se souvenait de cette brûlure qui venait après chaque « punition », une sensation désagréable qui courait entre ses cuisses jusqu'à son bas-ventre. Elle avait si peur. Son patron la secouait si violemment quand il s'en prenait à elle qu'elle fermait les yeux et serrait les dents en attendant qu'il en finisse. Au moins, ça durait jamais longtemps.

La voix de sa mère ramena la jeune femme à la réalité.

— Eva, rentre dans' maison, j'ai à te parler !

Madame Audet était une femme vieillie. De grands cernes ornaient ses yeux, et ses cheveux blanchis ressortaient de son chignon comme de la filasse. Son dos voûté semblait écrasé par le poids des années. Elle aussi, à sa manière, était restée meurtrie par les événements qui s'étaient produits une décennie plus tôt. Même si Eva avait souvent voulu en discuter avec elle, sa mère s'était toujours fermée en disant : « Le temps efface toute. »

Et toujours sa fille lui répondait : « Si c'est vrai que le temps efface toute, pourquoi j'oublie rien ? »

En arrivant près de la galerie, Eva remarqua un paquet de guenilles pliées dans du papier journal. Elle avait vu souvent, au fil des années, ce genre de colis qui était destiné à un accouchement.

— Maman, les linges, c'est-tu pour madame Tanguay ?

Eva aimait beaucoup Léontine Tanguay, leur voisine. Elle restait de l'autre côté de la rivière, en face du pont des Bouleaux[5]. C'est quand on avait inauguré le pont avec les habitants du rang qu'Eva s'était rapprochée de Léontine, asteure que le chemin direct d'une rive à l'autre rendait les visites plus faciles. Madame Tanguay avait déjà cinq enfants dans ce temps-là. Eva, attirée par les petits, lui avait offert son aide par temps perdu, quand ses parents n'avaient pas besoin d'elle. Léontine s'était mise à beaucoup apprécier sa jeune et solide voisine, qui savait tellement y faire.

— Ben oui, le neuvième est en chemin. J'apporte des guénilles propres, chus certaine qu'elle en a pas assez pour la mise bas ; elle a pas dû avoir le temps de s'en refaire d'autres depuis le dernier. Quelle misère ! Le docteur a été demandé par Joseph, mais y paraît que Léontine veut que j'aille quand même l'aider. Pauvre elle, elle a même pas eu le temps de se refaire une santé entre ses deux accouchements. Elle est maigre à fendre en deux. Ton père est déjà en train d'atteler la jument, y faut que j'y aille. Toi, tu restes icitte ; y est quasiment midi pis ton père va avoir faim.

Eva hésita, puis sortit d'un coup :

— J'aimerais ça, y aller avec vous, maman. J'pourrais être utile.

Sa mère la toisa avec dédain.

5. L'histoire de ce pont-là est pas banale. C'était une traverse rudimentaire faite de deux gros bouleaux ; les arbres ont été déracinés lors de la grande crue de 1903 et sont tombés l'un près de l'autre au-dessus du cours d'eau. Les gens du coin n'ont eu qu'à les ébrancher et à clouer des madriers dessus pour en faire un pont donné direct par le bon Dieu ! Le pont des Bouleaux était une vraie aubaine car il permettait de traverser en plein centre de la Fourche sans devoir faire le grand détour, mais à pied seulement : personne était assez fou pour passer dessus avec cheval et attelage. L'histoire du pont des Bouleaux n'est racontée nulle part dans les livres, mais elle a été notée par une famille de par chez nous qui, depuis presque quatre générations, détaille dans un cahier tous les faits importants de la Fourche.

— Qu'essé qu'tu dis là, toé! Fais-tu d'la capine? Une femme non mariée a pas l'droit d'assister à des accouchements, ce s'rait mal vu!

Eva ajouta immédiatement:

— Mais moi, c'est différent, je l'ai déjà vécu...

Du revers de la main, madame Audet frappa sa fille sur la joue. Eva en eut le souffle coupé. C'était pas la première fois que sa mère portait la main sur elle. Chaque fois, elle en restait surprise, honteuse, peinée. C'était toujours pour la même raison: Eva «savait pas garder sa place» et il fallait la corriger. La jeune femme enveloppa sa joue meurtrie de sa main, des larmes d'humiliation aux yeux.

— Parle pus jamais de d'ça! S'y fallait que tes sœurs sachent ce qui s'est passé, j'en mourrais de honte. Depuis l'temps, t'as pas encore appris de ta faute? Garde ta place, ma fille! T'as pas d'affaire dans les affaires de coucherie! tonna la matrone en serrant les dents.

Sa fille l'avait tellement fait souffrir... Mais Eva, à vingt-quatre ans, en avait assez de se faire rabaisser pour un événement dont elle n'était pas responsable.

— Ma faute, ma faute... J'ai jamais voulu être attaquée par mon boss, moé! J'avais treize ans, maman! Croyez-vous que je l'ai aguiché, le maudit verrat? Y m'a prise de force, je vous l'ai dit! Je savais même pas ce qu'y m'faisait! Comment j'aurais pu? Vous nous dites à rien, à nous autres, les filles! Tout ce que j'en retiens, c'est sa respiration dans mon cou pis sa sueur sur mes fesses!

Madame Audet fulminait. Les coups partirent tout seuls. Ses poings fermés s'abattirent sur les bras d'Eva, sur ses épaules, sur son dos. Jamais elle n'avait fait preuve d'autant de violence. Elle avait des paroles dures, la main leste, mais ce n'était rien comparé à la fureur dont elle faisait preuve en ce moment. On aurait dit qu'elle battait un vieux tapis. La vieille déversait dix ans de chagrin et de rage sur sa fille.

— Dis pus jamais ça d'vant moé ! Tu mériterais l'enfer ! T'es rien qu'une ordure qui m'fait vomir. Comment j'ai pu t'aimer quand, toé, tu m'as détruite avec tes folies ? Les mâles, ma fille, sont jamais fautifs. C'est nous, les créatures, qui les tentons pour les faire succomber dans la luxure, comme Ève l'a faite avec Adam. C'est l'curé qui l'a dit pis c'est la vérité vraie ! T'es pas digne de voir v'nir au monde un enfant pur et voulu de Dieu. T'es rien qu'un amas de péchés. Tu m'fais honte !

Eva se replia derrière la table de la cuisine, loin des coups. Des larmes s'échappaient de ses yeux. Était-ce de la rage ou de la peine ? Sa mère la détestait, c'était enfin dit. Se retournant brusquement, Eva sortit en vitesse, claqua la porte et courut droit devant elle. Puis, comme chaque fois qu'elle avait mal, elle grimpa la petite côte qui séparait le bois de la maison, jusqu'à la grosse épinette au fond du terrain.

L'épinette qui gardait jalousement son secret.

Elle aurait tellement aimé gratter la terre pour qu'elle lui rende son fils ! Elle l'aurait amené loin de cette maison hostile et l'aurait bercé doucement. Mais la terre avait déjà mangé son petit, il était poussière maintenant. Eva se frappa le ventre pour ressentir dans ses entrailles le souvenir de l'accouchement, pour se rapprocher de son enfant.

Au loin, elle vit son père avancer la jument avec l'attelage, prêt à amener sa femme chez les Tanguay. Eva savait pas ce qui l'avait poussée à offrir à sa mère de l'accompagner, sauf son besoin presque vital d'être confrontée à la vie, de voir naître un enfant et, pour une fraction de seconde, de le serrer dans ses bras en s'imaginant que c'était le sien. Depuis son accouchement, ce besoin de tenir un nourrisson contre son cœur l'avait pratiquement jamais quittée.

Elle était une mère sans enfant. Et souillée par une grossesse illégitime, elle était juste bonne à devenir une vieille fille qu'on oublierait au fond de son rang. C'était aussi bien comme ça. Heureusement qu'elle pouvait de temps en temps aller catiner chez Léontine, ça la consolait un peu.

Soudain, un hennissement attira son attention. Eva regarda vers la maison. Son père tentait de maîtriser la jument tandis que sa mère gisait au sol, près de la voiture. Sans plus attendre, Eva dévala la petite côte.

Son père était paniqué. Sa jument s'était emportée et avait fait tomber sa femme. Sa tête avait cogné contre une pierre, et le sang coulait dans ses cheveux argentés. Eva pinça les lèvres : les blessures de tête étaient dangereuses, tout le monde savait ça... Mais bientôt, madame Audet ouvrit les yeux.

— J'me suis-tu fendu le crâne, moé ? J'ai mal à' tête...

Eva, toujours prompte à aider, oublia que sa mère l'avait battue auparavant et se pencha pour la soutenir doucement, pendant qu'elle se remettait sur ses pieds. La blessée chancelait.

— Laisse-moé t'aider, Eva, dit son père en s'approchant. On va aller l'étendre sur son lit, elle est blanche comme un drap.

Effectivement, la vieille était très étourdie. « Ben faite pour elle ! » auraient dit les commères si elles l'avaient vue battre sa fille avant que le ciel la punisse. La matrone avait mal au cœur, et son vertige aidait en rien. Tout doucement, Cléophas mit son bras à la taille de sa femme et avec une précaution angélique, il la dirigea vers la maison, puis vers leur chambre où il la coucha. Eva regarda sa mère qui fermait déjà les yeux, puis s'en alla en laissant son père à son chevet.

— Va désatteler la Grise, Eva. Je pense pas que ta mère soit en état d'aller nulle part aujourd'hui, recommanda le vieil homme. Pis dis à tes sœurs de pas faire de bruit dans' maison quand elles vont rentrer.

Eva sortit. Dehors, il faisait doux et la jument s'était calmée. Ses sœurs revenaient de faire manger les cochons ; elle les avisa rapidement que leur mère se reposait.

— Mais madame Tanguay attend après elle ! protesta Annette. Maman devait apporter les guénilles propres !

Eva regarda le petit paquet sur le banc de la voiture. Une idée surgit. C'est avec aplomb qu'elle répondit :

— Ben, faut ce qu'y faut. J'vas y aller les porter, moé, les guénilles!

Sans plus de réflexion, Eva sauta dans le buggy et, faisant claquer les rênes, commanda la Grise qui se mit en marche. La force de la vie l'attirait trop, Eva ne pouvait plus se retenir. Elle sentait monter en elle une délivrance, comme quand on se réveille d'un cauchemar. Elle fit claquer les rênes de plus belle. Elle voulait se distancer de sa mère le plus vite possible. De toute façon, madame Audet ne l'avait jamais comprise.

La jument ne se fit pas prier pour courir la distance entre les deux maisons. Elle ressentait, elle aussi, l'adrénaline qui émanait de sa passagère. Eva savait qu'elle s'en allait vivre quelque chose d'intense et recevoir un baume sur sa grande blessure.

La maison des Tanguay apparut bien vite derrière un tas de billots de bois cordés le long de la route. La demeure était loin du chemin, il y avait une belle montée avant d'arriver à la galerie. C'était une bicoque avec deux minuscules fenêtres en avant. Cette famille était ben à l'étroit dans un si petit espace! Une seule chambre pour les enfants au grenier, séparée par un rideau de toile: les gars d'un bord, les filles de l'autre, et tout le monde couchait sur des paillasses. Seuls les parents avaient leur chambre bien à eux, au rez-de-chaussée, dotée d'un lit avec matelas. Léontine méritait ben ça, avait dit Joseph.

Les murs étaient d'un gris délavé. Cela devait faire belle lurette qu'on n'avait pas chaulé les planches. Avec leur famille nombreuse, les Tanguay avaient d'autres priorités. Madame Tanguay, débordée, faisait de son mieux pour garder la maison propre, mais c'était pas suffisant pour l'entretenir convenablement.

Plus que quelques pieds et Eva était arrivée. Son cœur battait à tout rompre. Elle se rapprochait de ses souvenirs d'accouchement. Guérir de sa blessure en revivant sa blessure… par le corps d'une autre mère. Eva revivrait bientôt l'instant où elle aurait pu être heureuse. Elle tira sur les cordeaux et ordonna à la jument de s'arrêter.

Aucune trace de la voiture du docteur dans la cour. Eva sauta littéralement sur la galerie et agrippa la poignée de la porte. Elle arriva nez à nez avec Joseph Tanguay. On voyait bien que le bonhomme faisait les cent pas depuis un bon bout de temps. Il avait fait quérir le médecin et il l'attendait. Patry devait s'en venir après être allé chez un autre patient. L'atmosphère était tendue. Selon monsieur le curé, les hommes devaient jamais assister à la naissance de leurs enfants, c'était pas permis. Comme si le corps légèrement dénudé de leur femme leur était pas familier!

Joseph regarda avec stupeur sa jeune voisine.

— Qu'essé tu fais là, toé? demanda-t-il. Où est ta mère?

Eva se sentit comme une intruse, mais elle pouvait pus reculer. Elle voulait assister à cette naissance. Elle avait déjà perdu un morceau d'elle, elle avait rien à perdre aujourd'hui à essayer de le retrouver.

— Maman est tombée, elle s'est blessée à la tête pis elle m'envoie aider votre femme. J'ai vingt-quatre ans, monsieur Tanguay, chus pus une enfant.

Joseph Tanguay pensa même pas à s'obstiner. Il aurait tout donné pour que sa femme reçoive de l'aide. Il avait toujours peur que le bon Dieu vienne la chercher quand elle mettait les petits au monde. Même pas deux semaines avant, le jeune Lemieux, au village, avait perdu sa femme en couches.

— C'est bon. Mais j'cré fort que l'curé aimera pas ça, prit-il la peine de dire.

C'était l'argument choc qu'Eva espérait ne pas entendre, mais son cœur de mère était plus fort que tout.

— Voyez-vous le curé icitte, vous? Y vient juste quand ça se passe mal. Votre femme est à son neuvième, y aura pas de problème. J'ai souvent entendu ma mère raconter comment elle s'y prenait. C'est sûr que je la vaux pas, mais c'est mieux que rien. Vous pensez pas?

Sur ces mots, un cri se fit entendre en haut. Madame Tanguay réclamait de l'aide.

— Monte vite, d'abord, dit Joseph.

Sans se faire prier, Eva grimpa les marches deux par deux. Arrivée devant la porte de la chambre, elle frappa doucement.

« Tout doit être fait en douceur, la vie a tant de prix », pensa-t-elle.

Elle ouvrit la porte et vit madame Tanguay couchée dans son lit, en sueur. Ses yeux caverneux montraient la misère qu'on vivait ici. Avant même qu'elle ait pu exprimer sa surprise de voir Eva surgir, cette dernière défila d'un trait :

— Maman s'est blessée, elle s'est cogné la tête et je viens pour la remplacer.

— Mais pauvre toé ! Un accouchement, c'est pas un spectacle pour une fille célibataire ! Ça va te faire peur, j'crains ben…

Les protestations étaient bien faibles et Eva sentit que c'était presque gagné : madame Tanguay était trop épuisée pour argumenter.

— Pas le moins du monde, répondit tendrement la jeune femme. C'est naturel d'avoir un bébé et de toute façon, le docteur s'en vient, ça fait que vous avez rien à craindre.

À ces mots, un nuage passa dans les yeux de Léontine Tanguay. Elle saisit la main d'Eva et la serra sur son cœur.

— Oui, reste. Et reste jusqu'à la fin si t'as pas peur. J'veux pas rester tu-seule avec le docteur Patry.

Eva s'étonna de voir sa voisine si nerveuse. Pourtant, ça faisait plusieurs fois qu'elle mettait au monde un enfant. Pourquoi avoir si peur ? Le passage devait être fait depuis longtemps. Et pourquoi semblait-elle se méfier du docteur Patry ? Perplexe, la jeune femme regarda le drap du lit. Elle se rappelait qu'elle avait abondamment saigné à son accouchement. Mais sur la couche de Léontine, il y avait pas de sang, donc pas de grand danger apparent. Eva ne savait pas trop quoi penser de cette anxiété et elle dut improviser.

— Voulez-vous qu'on prie ensemble la bonne Vierge Marie pour qu'elle vous assiste durant la délivrance ?

Léontine se détendit. Elle prit son chapelet qui était posé sur sa table de nuit.

— Oui, prions. T'sais, Joseph pis moé, on est cousins, et déjà, par deux fois, j'ai eu des mort-nés. J'ai toujours pensé que j'les avais entendus geindre, mais le docteur m'a affirmé que c'était pas possible. Quand y m'accouche, y me donne toujours du chloroforme, je perds un peu la carte. C'est peut-être mieux comme ça, le docteur m'a dit qu'y z'étaient difformes les deux et j'ai pas pu les voir. Y a pas voulu. Y m'a aussi dit que les deux fois, c'était difficile à faire passer, c'est pour ça qu'y m'avait donné quelque chose pour m'étourdir. J'veux pas que ça arrive encore...

En ravivant ces tristes souvenirs, Léontine éclata en sanglots. Eva se figea. Deux bébés mort-nés! Comment avait-elle pu survivre à ça? Elle osait pas imaginer la peine accumulée.

La vie d'une femme, c'était vraiment l'enfer sur terre.

Eva prit doucement la main de Léontine et la serra avec toute la compassion et la compréhension du monde. Comme elle aurait aimé lui parler de son fils! Mais elle pouvait pas. On lui avait appris à avoir honte, même si elle savait que Léontine était une bonne personne, une amie. De toute manière, c'était pas le temps.

En bas, la porte claqua. C'était le docteur qui arrivait. Des bruits de pas dans l'escalier et soudain, la porte s'ouvrit. Eva éprouvait juste de la répulsion pour cet homme. Elle aurait pas su expliquer pourquoi. Ce qu'elle gardait de souvenir de lui lors de son accouchement, c'est l'odeur et la sensation de froid quand il avait essuyé son sexe avec le linge iodé. Après la délivrance de son bébé mort-né, il avait montré bien peu d'empathie. Le docteur avait seulement dit que c'était mieux de même. Mieux pour qui? Comment une vie brisée peut-elle être mieux? Est-ce que le médecin était devenu insensible à la souffrance humaine à force de la côtoyer?

En le voyant passer la porte de la chambre, Eva se raidit, mais elle garda le silence; elle voulait pas lui donner de prétexte pour qu'il la chasse.

Quand il la vit, le docteur s'arrêta net:

— Eva Audet ! Ta mère est où ?

Il la fixait droit dans les yeux. Il avait vieilli, mais il demeurait quand même une figure d'autorité. Eva se sentit rapetisser. Après le curé, c'était le médecin qui dominait le village. La jeune femme bégaya :

— Elle… elle est chez nous. J'la remplace pour vous aider.

Le vieux docteur cacha pas sa surprise. Comment pouvait-elle prétendre lui apporter quelque secours que ce soit ?

— J'ai pas besoin d'aide, surtout pas d'une « demoiselle »…

Eva reçut la remarque comme une insulte. Elle se leva et, d'instinct, se gonfla la poitrine comme pour intimider un adversaire.

— La « demoiselle » en question est déjà passée par là, hein, docteur Patry ? J'sais c'que j'fais.

Il la toisa. C'était pas le lieu ni le moment d'avoir une discussion. Il se contenta de ronchonner. Puis, ouvrant sa trousse, il sortit son cornet. Eva remonta les oreillers de Léontine comme pour montrer qu'elle savait ce qu'elle devait faire.

— J'vas écouter le cœur de votre bébé, dit le médecin à Léontine.

« Espérons qu'il sera normal, pensa-t-il. Avec ces mariages entre cousins, les chances de donner naissance à des enfants infirmes sont grandes. Ça, il faut y voir, les habitants d'icitte ont pas besoin de ça. Des fardeaux sur les bras, y en ont en masse. »

Le docteur posa son cornet sur le ventre de la patiente et fit mine de sourire. Eva était bien naïve ; y serait pas difficile de la manipuler s'il arrivait quelque chose d'anormal à l'issue de l'accouchement, quelque chose qui le forcerait à agir.

Eva regarda madame Tanguay. Elle avait son chapelet serré dans les mains et marmonnait un *Je vous salue Marie*. La jeune femme se leva pour ouvrir la fenêtre. On suffoquait dans la chambre. Mieux valait aérer avant que l'odeur du sang prenne toute la place… et attire la Grande Faucheuse, comme disaient les vieux. « Mais aujourd'hui, pensa-t-elle, la mort n'aura pas de victoire icitte. »

Un cri, une plainte de Léontine et Eva revint dans l'instant présent. Elle s'approcha du lit, prit la main de l'accouchée et lui caressa doucement les doigts. Elle sentait tous les muscles durcis de Léontine. Le seul souvenir doux de la nuit d'horreur qu'elle avait vécue pour mettre son enfant au monde avait été une caresse faite sur sa main par un docteur froid comme de la glace. Patry la regarda.

— Vire ta chaise de bord pour pas voir les cuisses de madame, je dois regarder en bas, dit-il.

Eva s'apprêta à tourner sa chaise quand Léontine lui serra le bras.

— Reste de ce bord-là, pis sors pas de la chambre, Eva. Jure-le! J'me confesserai d'avoir manqué à ta pudeur!

Eva la regarda droit dans les yeux. Tout ce qu'elle vit, ce fut de la peur, une peur si grande qu'elle ne put la comprendre. Pourquoi cette détresse dans le regard?

— Léontine, j'vas t'donner un peu de chloroforme pour t'aider, annonça Patry.

— Non, j'en veux pas! se braqua la mère. J'ai déjà mis les premiers au monde à frette, j'vas être capable encore une fois!

Une dernière poussée, et voilà qu'une nouvelle petite fille naissait. Elle était parfaite et sa peau rose présageait d'une bonne santé. Elle ressemblait même à sa mère. Le docteur Patry coupa le cordon d'un geste sec. Madame Tanguay se tortilla pour se redresser et, en tendant les bras, elle dit:

— Prends-la tu-suite pis donne-la-moé, Eva.

Aussitôt, Eva s'exécuta et, par réflexe, Léontine serra le bébé sur sa poitrine. La petite encore humide et couverte de sang s'agrippait déjà à la chemise de nuit de sa mère. On aurait dit qu'elle réclamait le sein sur-le-champ. Madame Tanguay regarda Eva en souriant. La peur avait quitté son regard.

— Reconduis le docteur en bas, y faut pas le déranger plus que ça. Après, remonte m'aider, mon Eva. Je sais quoi faire pour le reste, j'vas t'guider. Joseph va vous régler votre dédommagement, ajouta Léontine à l'intention du docteur.

Pas un merci. Sans plus de cérémonie, le médecin essuya ses mains et se releva.

Eva et le docteur descendirent l'escalier. Tout s'était bien passé. Eva aurait aimé tenir la petite dans ses bras plus longtemps, ce qui aurait mis un peu de douceur dans sa vie pleine de dureté. Mais elle se résigna en pensant que Léontine devait avoir sa récompense après tant de travail.

Le médecin alla droit à l'évier. En saisissant la pompe, il regarda Eva du coin de l'œil. Elle était devenue une jolie femme. Sa taille fine et ses grands yeux bruns la rendaient plutôt agréable à regarder. Il savait, par le bouche-à-oreille des commères, qu'elle avait jamais eu de prétendant. Il en avait conclu qu'elle avait pas surmonté sa crainte des hommes après le viol, ou qu'elle avait été traumatisée par son accouchement. C'était ce qu'il se disait chaque fois qu'un remords montait du fond de ses souvenirs. Il essayait de se convaincre qu'il était pour rien dans la détresse de cette jeune femme, ni des autres patientes à qui il avait pris leurs petits. Le curé l'avait absous bien des fois. Il fallait bien faire de petites concessions pour sauver les âmes, non ? Mais le docteur en croyait rien. Chaque fois qu'il aidait le prêtre à « sauver » une âme, le praticien perdait un peu plus de la sienne.

Joseph Tanguay se leva et se dirigea vers le médecin.

— Ma femme va-tu ben, docteur ?

— Oui, mon Joseph, elle va numéro un, pis t'as une nouvelle fille sur les bras !

— Eh ben ! C'est les autres qui vont être contents ! Y sont chez mon beau-frère Cadrin. Si ça vous dérange pas de passer par là au retour, pour les avertir…

Louis Cadrin était le frère de Léontine. Ils n'avaient en commun que le nom, Léontine étant une femme réservée et travaillante, alors que son aîné était un fainéant dans la plus belle tradition et un alcoolique pur et dur. Il aurait même pu boire du parfum, l'ivrogne. Sa pauvre femme faisait pratiquement l'ouvrage à elle toute seule… pendant que lui se consacrait à la seule chose pour laquelle il se pensait avoir du talent : fabriquer de la bagosse[6].

Eva regarda Joseph. Il respirait le bonheur. Que c'était bon de voir un sourire de fierté si contagieux dans le visage d'un homme rustaud comme lui ! Il se frotta les mains, fou de joie.

— Attendez que je dise ça à tout le monde ! Une neuvième est arrivée chez les Tanguay ! On va l'appeler Eva parce que tu l'as aidée à mettre bas, ma fille. Je t'en remercie, dit Joseph.

Le visage du docteur Patry s'assombrit. Dans son esprit, la petite Tanguay serait maintenant toujours associée à la mort de l'enfant d'Eva Audet.

Mais Eva, elle, était ravie. Au moins, un enfant aurait un petit quelque chose d'elle !

— Oh ! merci, monsieur Joseph, mais j'ai rien faite pantoute ! Le bon Dieu et la Sainte Vierge, c'est eux qui ont toute faite.

Joseph sourit. Il voyait en elle la pureté et la naïveté de ses jeunes années. Il allait répondre avec une gentillesse un peu bourrue quand, du haut de l'escalier, Léontine demanda à voir Eva. La jeune fille se fit pas prier. Elle gravit à nouveau les marches, ouvrit la porte et vit madame Tanguay donner le sein à la petite. Eva, pudique, voulut sortir, mais Léontine la retint.

6. Dans la Fourche, plusieurs habitants fabriquaient de l'alcool au vu et au su de tous, avec des alambics de fortune. Oui, je sais que c'était défendu par la Prohibition et la ligue de tempérance pis toute pis toute, mais les hivers étaient longs dans le rang, que voulez-vous. Il y a même eu un gars, à cette époque, qui transformait toute sa sève d'érable en bagosse. Croyez-le ou non, il faisait bouillir dans sa sucrerie jusqu'à la fin mai ! Qu'est-ce que vous pensez : il a fini par sauter avec son alambic ! Quand les gens du coin sont venus pour le veiller sur les planches, sa veuve, pour bien paraître, disait que « c'était le sucre qui l'avait amené ». Il a eu le dos large, le diabète. En tout cas ! Cette anecdote quelque peu funèbre me fut racontée par une vieille dame du coin qui disait qu'il y avait rien de mieux pour tuer les microbes qu'une shot de bagosse.

— Viens, voyons, c'est rien que naturel[7]. J'dirai rien au curé.

La jeune femme s'avança et caressa la tête légèrement difforme du bébé.

— Elle va devenir bien ronde, sa petite tête, dit Léontine, inquiète-toé pas avec ça. Y z'arrivent tous comme ça, les bébés, parce que le passage est petit.

Une émotion submergea Eva qui laissa échapper un sanglot, ce qui fit se méprendre Léontine.

— Pleure pas, ma grande. La douleur, j'la ressens plus ou presque. C'est un don qu'on a, nous les femmes, de pouvoir souffrir pour nos rejetons et de tout oublier après. C'est Dieu qui nous donne la force. Allez, viens laver mon dos, j'ai du sang de collé. Et pis j'aimerais une jaquette propre ; j'vas la mettre pendant que tu changes les draps.

Eva avait rien oublié depuis dix ans. La douleur était toujours aussi vive, dans son esprit du moins. Après avoir lavé Léontine et changé les draps, elle se laissa tomber sur la chaise près du lit, puis entoura doucement la nouvelle maman et son bébé de son bras Elle avait grandement besoin de réconfort.

— Allons, toi aussi, un jour, tu seras mère. Oui, oui, d'un bel enfant, tu verras.

7. Les morts de bébés étaient très fréquentes en ce temps-là. Les anciens registres disent que, de 1857 à 1880, juste à Saint-Cajetan-d'Armagh, il y a eu 348 décès dont 304 étaient des enfants de 0 à 10 ans. Il faut comprendre que plusieurs femmes ne nourrissaient pas leurs bébés au sein, par pudeur. Pour nourrir les bébés, on mettait le lait de vache (non pasteurisé) dans des bouteilles de vitre, qu'on faisait chauffer accrochées par une pince de fer près de la lampe à huile fixée au mur. Souvent, le lait restait là des heures et finissait pas cailler (l'ancêtre du yogourt, me direz-vous). N'empêche qu'autant de morts infantiles n'étaient pas surprenantes. Y fallait être fait fort pour arriver à sa première communion. Merci, mon Dieu, je suis née en 1963 !

Léontine savait rien du désespoir que vivait sa jeune voisine et ne comprit pas pourquoi cette dernière s'était mise à pleurer de plus belle.

Chapitre 3

Une semaine avait passé depuis l'arrivée de la petite dernière des Tanguay. Pendant toute la semaine, Eva s'était remémoré chaque minute de cette naissance heureuse. Le premier pleur du bébé, ses joues roses, sa chaleur…

Malgré tout, elle pouvait pas oublier la peur qu'elle avait aperçue dans les yeux de Léontine pendant la délivrance. Pourquoi cette terreur de rester seule avec le docteur Patry ? Quand on craint pour sa vie ou celle de son enfant, la personne à avoir près de soi, c'est le médecin, justement, non ? Est-ce que ça se pouvait que le docteur Patry abuse de ses malades quand elles étaient toutes seules avec lui ? Que Léontine ait déjà été « touchée » ? L'aurait-elle dit à son mari ? Les femmes étaient pas toutes comme elle avait été dans le temps où elle se faisait agresser par son boss à Québec, une pauvresse de quatorze ans qu'on croit pas… Est-ce que c'était la raison pour laquelle Léontine avait eu autant besoin d'un témoin pendant son accouchement ?

La jeune femme avait beau retourner ça dans sa tête, y avait aucune explication. Seul un sentiment puissant de méfiance s'installa dans son esprit : on pouvait pas faire confiance au docteur, malgré tout ce qu'on lui disait depuis son enfance : « Monsieur le docteur et monsieur le curé, y faut les respecter, car ils sont instruits ! »

Absorbée par ses pensées, Eva n'entendit pas sa mère entrer dans la cuisine.

— Va chercher du bois pour le poêle, lança-t-elle d'une voix ferme.

Eva voulait surtout pas la faire attendre. Depuis son escapade chez les Tanguay, sa mère, qui avait l'air de s'être remise de sa blessure à la tête, décolérait pas. La nouvelle avait fait bon train. Les commères s'étaient pas gênées pour traiter Eva de dévergondée et d'autres noms de la même eau. « Une jeune femme sans mari doit savoir tenir sa place », disaient-elles. L'une d'entre elles en avait même parlé au curé : madame Adèle Turgeon, dite La Fouine... ce qui obligerait malheureusement Eva, ce jour-là, à se présenter au presbytère dès qu'elle aurait fini sa tâche.

Même si elle vivait au village dans une grande maison de la rue Principale, cette grosse mégère passait son temps à fouiner dans tous les rangs pour colporter les nouvelles fraîches. Elle était détestée de tout le monde. Quand elle était pas dans les rangs, elle passait la plus grande partie de son temps juchée sur sa galerie à surveiller tout ce qui se passait. Elle penchait toujours sa tête un peu vers l'avant pour donner l'impression qu'elle était dure de la feuille : elle s'imaginait qu'amanchée de même, elle facilitait la confidence. Avec son air supposément aimable, elle s'informait toujours de tout et de rien. Et maudit qu'elle avait le tour. Tout le monde se faisait prendre. C'était la porte-panier du curé.

Elle s'était présentée chez Léontine aussitôt qu'elle avait appris la délivrance, sous prétexte de venir saluer la nouvelle venue. Une naissance était toujours intéressante.

— Comme t'as une belle fille, ma Tontine ! Elle te ressemble.

— Merci, Adèle. C'est vrai, on dirait qu'elle a mon nez.

— C'est pas celui de Joseph pour sûr, pis heureusement, comme qu'on dit ! Y a le nez comme une vraie pataque, ton homme... Comment allez-vous la nommer, c'te petite douceur ?

Léontine ne se méfia pas un instant et lâcha le morceau.

— On l'a appelée Eva. Joseph est allé le jour même au village pour la faire baptiser. On prend pas de chances avec ça. Le démon rôde partout. C'est connu de tout un chacun qu'y préfère les p'tits non baptisés pour les amener avec lui.

Adèle cacha pas sa surprise.

— T'as raison d'avoir fait baptiser vite, on est jamais trop prudent. Les limbes sont pleins de pauvres p'tits partis trop vite. Quand même... Eva... J'en r'viens pas. C'est bizarre! Habituellement, on donne le nom de la marraine à une petite fille... C'est pas ta sœur Madeleine, la marraine?

— Mais oui, c'est ben elle. Mais Joseph pis moé, on a pensé l'appeler Eva parce que la fille à Cléophas était là à la naissance. C'est elle qui est venue m'aider à mettre bas.

Léontine réalisa soudainement qu'elle avait trop parlé. Comment ça se faisait que cette vieille pie arrivait toujours à tirer les vers du nez à tout le monde? Aussi tenta-t-elle de limiter la portée de ses paroles.

— T'sais, Adèle, la p'tite, elle a rien vu, elle avait le dos tourné!

— Ben voyons, Tontine! Chus sûre que t'aurais rien faite pour la choquer...

Léontine voyait déjà Adèle Turgeon se délecter de ce qu'elle venait d'apprendre. Quel ragot! Eva Audet devenue sage-femme, pis ça, sans la permission du curé!

— C'est ben entendu que ça va rester entre nous deux, hein? J'voudrais pas qu'Eva se r'trouve dans l'trouble à cause de moé...

— Ben sûr, tu me connais... Plus discrète que moé, c'est le silence de la tombe.

Vaine tentative. Léontine Tanguay savait bien que la nouvelle ferait le tour de la paroisse, et plus vite que pète un bâton de dynamite. Avec Adèle Turgeon, tu parles qu'on était dans la m...

— Tu veux-tu prendre la p'tite? demanda Léontine pour faire diversion.

— Pas besoin, chère, j'la voé ben d'icitte. Pis de toute manière, y faut que j'y aille, moé!

La bonne femme Turgeon partit tout de suite, ben rien que le temps d'ajuster son chapeau.

« Là, on va en entendre parler, pensa Léontine. On dirait qu'elle a le feu où le dos perd son nom. Vieille chiasse ! »

Effectivement, Adèle Turgeon s'empressa de quitter la maison des Tanguay. Elle n'eut aucune difficulté à se taper les trois milles et demi séparant le rang de la Fourche du village. Pour un tel secret, elle aurait marché jusqu'en enfer. Pensez-y, un si gros manque de pudeur de la part de la grande perche d'Eva Audet ! Quel scandale ! Dans la paroisse, loin de tout, là où il se passait pratiquement rien, on adorait les événements marquants.

La Fouine à Turgeon s'arrêta au magasin général en premier. À la ronde, elle demanda innocemment si quelqu'un savait que le docteur n'avait pas été tout seul pour accoucher la bonne femme Tanguay. Ensuite, elle se dépêcha d'aller au bureau de poste, prétextant avoir oublié une lettre, tout en racontant à tout le monde que c'était pas la sage-femme Audet qui avait donné les soins quand Léontine Tanguay avait donné naissance à sa nouvelle fille. Pour finir, elle fonça au presbytère, où elle apprit au curé qu'Eva Audet avait assisté Léontine pendant l'accouchement. Le religieux venait de comprendre : c'était donc pour ça que le bébé avait été affublé de ce prénom-là…

Hors de lui, il exigea aussitôt qu'Eva se présente à confesse.

La jeune femme monta à contrecœur au village pour aller rencontrer l'homme d'Église au presbytère. La Grise allait d'un pas lourd. Pas question pour Eva de la faire galoper ni même trotter, elle arriverait bien assez tôt à destination. Tout ça était d'un ridicule fou. Le curé devait bien se douter qu'Eva, à vingt-quatre ans, savait les choses de la vie. Elle était chaste, mais plus innocente depuis longtemps.

Elle remonta la rue Principale en passant devant la forge. Le bruit du marteau sur le fer la secoua, il l'empêcha de penser. Le forgeron, monsieur Gouin, était à moitié sourd, mais c'était un homme d'une bonté extrême. C'était connu dans bien grand qu'il faisait crédit aux plus pauvres. « Un saint homme », songea Eva en le voyant sortir de sa forge, habillé comme à l'accoutumée avec son tablier de cuir et ses mitaines assorties pour manier le fer chaud. Il avait la peau couleur tan à force de se faire chauffer la couenne près du feu de forge. Il la salua avec son chapeau, un sourire contrit sur le visage. Même lui avait entendu parler de son aventure chez les Tanguay. « Pauvre petite, pensa-t-il, le curé doit l'attendre avec une brique pis un fanal. Maudite Fouineuse... Je l'assirais ben sur une brique chaude, elle! » Eva sourit au forgeron en retour puis continua son chemin.

L'église se dressait quelques dizaines de pieds plus loin, avec le presbytère juste à côté; y avait juste une petite clôture en bois peinte en blanc qui séparait les deux bâtiments. Pas une fleur, quel dommage. Les enfants du village s'amusaient à faire glisser un bout de bois le long des planches afin de produire du bruit, ce qui énervait prodigieusement le curé. Tout le monde savait que l'homme d'Église aimait pas beaucoup les enfants.

Le presbytère était une modeste construction avec, au deuxième étage, quatre lucarnes peintes en bleu. « Bleu comme le voile de Marie », pensa Eva. Une grande galerie tout autour servait au curé pour prendre l'air tout en lisant son bréviaire. Un homme de son rang, ça marchait pas parmi le petit monde pour faire ses prières, non non. Les hommes instruits ont leur façon de se démarquer du lot, et le curé Tardif savait se placer au-dessus des autres. Personne ici sera surpris d'apprendre que l'orgueil était son plus grand péché.

Eva avait une bien faible estime de cet homme de Dieu. Elle le trouvait froid et dénué des sentiments fraternels qui étaient quand même supposés être à la base de sa profession. Dans sa soutane noire, son allure squelettique faisait presque peur. Tout le monde disait que c'étaient les privations pour ses fidèles qui rongeaient le curé. Ça impressionnait pas Eva pantoute. Et le fait que sa mère le louange sans cesse ne l'aidait pas non plus à l'apprécier, ni à être plus fervente dans ses dévotions.

Elle monta les trois marches et se tourna pour regarder un moineau qui picorait des miettes de pain sec sur la galerie. « Comme j'aimerais être à ta place pour m'envoler loin de cet endroit ! » Elle cogna finalement à la porte. De l'intérieur, le prêtre lui cria :

— Rentre, Eva Audet !

Il l'avait guettée à travers la fenêtre comme un chat malin. Elle avait à peine mis les pieds dans le bureau du religieux que les reproches tombèrent comme une roche sur l'eau, créant leurs sillons d'amertume. Le curé se tenait droit comme un piquet et gesticulait avec sa Bible entre les mains.

— J'ai su de source sûre que tu es allée épier madame Tanguay lors de sa mise bas, entonna-t-il.

— Oui, j'y suis allée, lui répondit Eva sans broncher d'un sourcil, mais pas pour épier, voyons donc !

— Garde tes yeux chastes, ma petite ! Toi et moi, on sait que tu as de la misère avec la chasteté.

Eva était à peine surprise de l'attaque du prêtre, et elle savait bien qu'il était inutile de riposter. Qu'est-ce que ça aurait donné ? Un homme protège un autre homme. Les femmes sont, à leurs yeux, juste des reproductrices et des bonnes à tout faire. Le prêtre l'écœurait royalement avec son air pincé et sa soutane ajustée sur son corps osseux.

Depuis vingt-cinq ans déjà, le curé Tardif avait mainmise sur ses ouailles. Rien lui échappait. La moindre chose était péché, et depuis qu'il était arrivé pour prendre en charge la paroisse, nombreuses étaient les dénonciations publiques faites à la grand-messe du dimanche. Du haut de sa chaire, ce prêtre hanté par l'idée de l'enfer ne s'offusquait nullement de détruire la réputation d'un paroissien. S'il n'avait jamais parlé d'Eva en tant que fille-mère, les adultères devaient se surveiller comme il faut, car il se gênait pas pour citer leurs noms devant toute la communauté ou pour passer tout droit à la communion, refusant de la donner au pécheur, histoire d'attiser sa honte.

Eva baissa les yeux. Pour montrer sa supposée soumission, mais surtout pour pas voir se rallonger le sermon, elle ne hocha même pas la tête. Elle préférait porter son attention sur le bruit régulier du pendule de l'horloge grand-père qui trônait dans la pièce.

— Madame Turgeon m'a dit que tu étais DANS la chambre pour assister à l'accouchement. Si c'est pas épier, ça !

Eva endurait en silence. Tic tac tic tac. Le curé finirait bien par s'épuiser de cracher du venin.

— Fais attention, ma fille, le diable guette les demoiselles attirées par les choses impures.

Eva sentit la rage envahir son corps. Comment pouvait-il qualifier d'impur le don de la vie ? Comment pouvait-il tout salir, même ça ? Elle explosa.

— Impur, mettre un enfant au monde ?! La Sainte Vierge l'a ben faite, elle !

— Ne prononce pas ce saint nom devant moi ! Je te connais bien, Eva Audet, fille de Cléophas Audet ! Tes pensées pis tes gestes sont pervers depuis ton plus jeune âge ! Par chance que les hommes, comme le docteur Patry, savent gérer ces choses-là !

Eva sursauta.

— Quelles choses ? Comment ça, « gérer » ?

— T'es trop curieuse et cela ne te regarde pas. Contente-toé de rester à ta place. Tout le monde ici doit rester bien à sa place, je suis là pour veiller au grain, car c'est mon ministère. Je suis donc roi et maître des lieux et je dois veiller sur vos âmes. Sans moé, vous ne seriez qu'un amas de péchés, oui, et surtout de péchés d'impureté !

Eva regarda droit dans les yeux celui qui lui faisait la leçon sans la connaître. Mautadit qu'y était dur et intransigeant ! Son cœur semblait vide de toute compassion. Y pouvait pas représenter Dieu, ça se pouvait pas ! Dieu doit être bon. Dieu est miséricordieux.

Mais y était pas permis à Eva de discuter de religion avec le curé ni de le confronter. Elle devait être docile, car tout se salissait très vite à Saint-Cajetan-d'Armagh. On y perdait vite son nom si on satisfaisait pas aux volontés du curé, surtout lorsqu'on était une fille.

Le prêtre finit par donner à Eva l'ordre de s'en aller. Elle fit son signe de croix puis une légère génuflexion, et elle sacra le camp du presbytère, la rage étampée sur le visage. Dehors, elle aurait voulu hurler sa révolte, crier à tous qu'elle était fautive de rien, qu'on lui avait tout pris, sa jeunesse, ses rêves, que son enfant était mort, même. Une douleur lui monta au ventre. Comme elle aurait voulu que son fils soit encore bien au chaud en son sein! Elle saurait le protéger, elle n'aurait besoin de personne d'autre pour l'aimer.

Bien vite, elle fut assise dans son buggy. Elle claqua les rênes avec l'urgence de s'éloigner du presbytère, de l'homme d'Église, de tous les hommes, en fait. Elle se sentait comme une enveloppe vidée de son contenu. Elle prit le chemin du retour. Il y avait en elle une douleur que personne ne pouvait comprendre. Un sentiment de froidure l'enveloppa même si, autour d'elle, le soleil brillait.

Au presbytère, pourtant, c'était pas le froid qui régnait, mais une chaleur infernale qui montait dans les tripes du curé. Il était en proie à des spasmes et ses yeux hagards cherchaient sur quoi se poser.

— Saletés de créatures, créées par Satan pour nous tenter! Si elles savaient comment leurs confessions me répugnent. Toutes leurs perversions charnelles, cette maudite crasse qui nous hante le cerveau, c'est à virer fou!

Il eut bien du mal à se calmer, l'exalté.

Une fois le soir tombé, il sortit dehors. Sa servante était couchée depuis longtemps. C'était une vieille créature dévouée, mais laide à faire péter un miroir. Le diable lui-même devait pas être plus laid. Tardif l'avait choisie lui-même pour ça. Elle n'avait rien en elle pour attiser un homme. Elle était parfaite.

Il devait marcher, marcher. Ses fantasmes remontaient en lui.

— Sales chiennes… sales pécheresses…

Il sentit quelque chose lui barrer la route. Près du cimetière, de la broche barbelée traînait à terre. Encore une job laissée pas finie par le bedeau. Des restes de l'ancienne clôture, longue d'au moins neuf pieds. En plein ce que ça lui prenait. S'assurant que personne ne pouvait le voir, il dénuda le haut de son corps et enroula le fil de fer du bas de sa taille jusque sous les bras. Alors il se jeta au sol et se mit à se rouler par terre, faisant délibérément entrer les pics de métal dans sa chair. Le sang giclait de sa peau tant il mettait de la pression sur la broche… Un fou bon à enfermer.

— Les épines du Christ! Sors de moé, Satan… Sortez de moé, sales pécheresses! Sortez de mon corps, je vous l'ordonne!

Il détestait vraiment toutes les femmes.

Autrefois, pourtant, Fidèle Tardif avait aimé. Autrefois, il avait voulu contenter une femme, l'aimer à la folie, devenir père et être heureux.

Un souvenir remonta à sa mémoire pendant qu'il gisait au sol. Sa douce Maria, très tendre et belle Maria. Avec sa voix remplie de promesses et son sourire qui effaçait toute crainte. Ils avaient à peine vingt ans. L'amour qu'ils ressentaient l'un pour l'autre était si fort, leur sentiment était d'une pureté digne des anges. Maria, avec ses longs cheveux noirs et ses yeux d'un bleu d'azur, avait été sienne un court moment. Nulle créature n'était plus belle qu'elle. Sa peau douce invitait à la caresse, mais jamais il n'aurait essayé de prendre avant le mariage la fleur de sa virginité. Son amour était pur, pur comme le cristal.

Mais un autre homme l'avait prise avant lui. Un autre avait implanté sa semence dans son corps. Un autre avait possédé sa chair en obligeant la vie à naître dans son ventre, une vie qui ne venait pas de lui.

Maria fut rapidement mariée à celui qui l'avait agressée et s'était montré repentant. Le père de la jeune fille avait marché dans la combine: il fallait légitimer la naissance à venir. Aux yeux de tous, Maria aurait un pauvre bébé prématuré, c'est tout. L'honneur de la famille serait sauvé.

Fidèle Tardif, l'amoureux désabusé, fut définitivement écarté. Le jour où il prit soutane, il jura que jamais il toucherait à une femme. Personne ne remplacerait jamais Maria.

Des années plus tard, il avait revu sa dulcinée lors d'un court séjour dans sa paroisse natale, où il avait été appelé pour co-célébrer des funérailles. Quand il l'avait aperçue au cimetière, trois jeunes enfants accrochés à ses jupes, il avait osé s'approcher.

— Maria, c'est moé. Tu me r'connais-tu?

— Ben sûr, Fidèle, avait-elle répondu avec un sourire.

Il avait désigné les enfants du menton. Ils étaient tous attroupés autour de Maria. On aurait dit des petits rats.

— C'est les tiens?

— Oui, trois beaux p'tits gars! J'en suis ben fière. C'est des bons enfants. Tu veux-tu les bénir?

— Laisse faire les bénédictions. Le grand escogriffe, là, y t'a-tu forcée pour les deux autres aussi? M'en vas y régler son compte!

Maria l'avait regardé bêtement.

— Comment ça, «forcée»? Jamais de la vie! Phydime, c'est mon mari pis on s'adonne ben ensemble.

— Tu t'adonnes... asteure, peut-être, mais pas au début, hein? avait demandé Fidèle, visiblement étonné par la révélation.

La jeune mère avait pris le temps de formuler sa réponse. Ça faisait des années qu'elle vivait avec la culpabilité d'avoir laissé croire à Fidèle que... Il fallait que la vérité sorte enfin.

— T'sais, même pour le premier... j'ai jamais vraiment été forcée. J'ai juste pas dit non quand c'est arrivé.

— Mais c'est moé que t'aimais! C'est moé qui allais chez vous les bons soirs! Tu disais que tu voulais être ma femme!

— Ben lui y venait les « autres » bons soirs ! Ça me tentait tout le temps de le voir, lui ; toé, tu représentais la sécurité, tes parents avaient un peu de bidous… Ça m'aurait pas dérangée de t'marier, r'marque. Mais bon, la vie m'a fait le choisir, lui. Pis chus ben contente. Pis ça serait fin que tu m'appelles par mon nom de femme mariée, asteure. Tout le monde m'appelle madame Phydime Laferrière.

Fidèle s'était glacé tout d'un coup.

— Va au diable ! Tu t'es servie de moé ! J'étais juste un gars de remplacement si y avait pas voulu, c'est ça ?

Tout à sa rage, il lui avait tourné le dos et s'était enfui sans qu'elle ait pu dire que oui, c'était ça.

Après cet après-midi maudit où, dans le cimetière, sa vie avait basculé une deuxième fois, Fidèle Tardif mêla tout. L'homme d'Église s'était mis à détester et à maudire l'enfant, le premier, qui l'avait éloigné de Maria. Et à détester le grand Phydime, comme de raison. Et à détester les deux p'tits derniers morveux aussi, tant qu'à y être.

Puis il s'était mis à vouer une haine profonde à ces femmes qui s'abandonnaient avant le mariage, et à ces enfants du péché. Lui, il aurait jamais forcé la virginité de Maria, il aurait attendu que le fruit soit mûr pour être cueilli. Pris en son temps, ce n'était plus le fruit défendu, c'était le paradis qui arrivait sur terre. Il avait été respectueux avec elle, et pourquoi ? Ça l'avait conduit tout droit au malheur… Les femmes devinrent à ses yeux des êtres abjects qui savaient juste faire souffrir, et les bâtards en leur sein, des créatures qui méritaient pas de vivre. Un point, c'est tout.

De retour dans son presbytère, il jura que jamais plus un enfant créé dans le péché ne briserait l'amour d'un homme. Dans sa paroisse de Saint-Cajetan-d'Armagh, le bon ordre serait respecté. Le démon de la luxure… c'est lui qui le materait.

De son logis, le docteur Patry vit Eva quitter le presbytère en colère. Le curé fou la tenait sous son joug, elle aussi. Pauvre fille, se dit le praticien, tant qu'elle serait ici, elle n'en finirait plus d'expier sa faute, comme lui n'en finissait plus d'expier la sienne. Il avait cru au secret de la confession et s'en mordait les doigts chaque jour depuis.

Le curé Tardif le tenait par les gosses, littéralement.

Horace Patry avait été expédié à Saint-Cajetan par son mentor, le docteur Côté, pour y soigner une épidémie de variole[8] (pendant que lui, le vieux bouc, restait au chaud dans son patelin à soigner de mauvaises fractures contre du bon argent). Le jeune docteur s'était donc dépensé jour et nuit pour aider ses nouveaux patients. La maladie avait eu tôt fait de lui tomber dessus, comme de raison. Il fut si malade qu'on finit par le coucher dans son lit et par envoyer chercher le curé pour l'extrême-onction. Quand le prêtre arriva, Horace Patry était au bord de la mort.

— Mon père… j'ai peur qu'il m'arrive quelque chose… C'est la fin…

— Voulez-vous faire la paix avec le Seigneur ? avait demandé le curé, fin prêt à le confesser.

8. Cette épidémie de variole à Armagh a véritablement eu lieu au printemps de 1902 (dans mon histoire, je la situe en 1883, alors que le docteur est encore un jeune homme – une p'tite liberté que j'ai prise, vous me pardonnerez). On rend la vaccination obligatoire. Des amendes de cinq piastres sont imposées si on veut pas se faire vacciner, et de une piastre supplémentaire par jour dépassant la date limite. Laissez-moi vous dire que ça vaccinait en tabarouette. Cinq piastres, dans ce temps-là, c'était toute une somme. Pour contenir l'épidémie, on avait même l'obligation de dénoncer ceux qui voulaient pas se faire vacciner, mais des conseillers, eux, défiaient le comité d'hygiène de la province de Québec en omettant de donner les noms de ceux qui tombaient malades. Le maire du temps, par peur de payer l'amende si le gouvernement trouvait la municipalité en faute, démissionna, car l'épidémie menaçait de monter à Saint-Philémon. Heureusement, ça a fini par finir.

— Oui, mon père, car j'ai péché.

— Comment, mon fils?

— J'ai aimé un homme… mais avec mon corps, avait murmuré le moribond.

La bouche du curé s'était arrondie comme un rond de poêle. Malgré tout, il avait déclaré:

— Le bon Dieu vous pardonne, mon fils. Dormez en paix, maintenant.

Dans les yeux de Tardif, il y avait eu une étincelle. Il fallait que ce mourant vive, il avait besoin de lui.

Le docteur avait fini par réchapper de la maladie. Aussitôt qu'il avait été remis, le curé l'avait fait venir au presbytère. Et il avait été clair: Patry allait faire ce qu'il lui demanderait, et en retour, lui, le prêtre, s'engageait à ne pas révéler ce qu'il avait appris aux heures les plus sombres. Leurs secrets respectifs seraient à jamais gardés. Tout le monde y gagnait après tout, pensait-il.

À partir de ce moment-là, Horace Patry était coincé. Las, il avait fini par en prendre son parti. Le plus important pour lui était de pas abandonner ses patients. Ils avaient trop besoin de lui. Et si le prix à payer était de rester sous la coupe du curé, tant pis.

Chapitre 4

Le vent soufflait de l'est depuis le matin, les nuages noirs montaient dans le ciel. Ce mois d'août était très pluvieux. C'était certain que la pluie tomberait bientôt. Eva, assise à la table de la cuisine en compagnie d'Annette, était occupée à éplucher du blé d'Inde pour le dîner. Elle était perdue dans ses pensées, se demandant si Léontine nourrissait encore la petite au sein. Oh! elle savait bien que ces choses-là, l'allaitement, entre autres, on en parlait pas. Souvent même, les femmes plus scrupuleuses se mettaient des bandes de tissu pour cacher leurs seins volumineux gorgés de lait. Des gros seins, c'était vulgaire. Et l'idée qu'une bouche soit posée dessus, même celle d'un nourrisson, était scandaleuse. Il fallait être pudique en tout. Eva se rappelait parfaitement les sillons de lait qui avaient doucement coulé sur ses seins après la naissance de son fils. Un frisson lui passa dans le dos.

— On a fini! annonça Annette après avoir reposé le dernier épi. Eille, j'y pense, on pourrait aller aux bleuets avant la pluie, ça te tenterait-tu? Y en a plein dans une talle près du p'tit ruisseau. Anita et Paula pourraient venir; à quatre, ça irait vite.

— Ah oui, bonne idée. J'ferai une tarte pour le dessert. Fait longtemps qu'on en a pas mangé, répondit Eva.

Sa jeune sœur agrippa des plats de granite sur une tablette et sortit avec son aînée.

— Paula, Anita, venez! cria Annette aux deux plus jeunes, occupées près de la porcherie. On va aux bleuets pour le souper!

Les deux jeunes filles arrivèrent, Paula à la course, Anita en traînant de la patte.

— Pas encore aller aux fruits!

La troisième fille Audet était pas la plus vaillante des quatre. À dix-sept ans, elle aimait ben mieux se coiffer et se regarder dans un miroir que de mettre du cœur à l'ouvrage. Elle était coquette... Pas mal trop aux yeux de sa mère.

— Viens donc, supplia Paula la gourmande. J'aime ça, moé, les bleuets!

— Mais y a des ours dans l'coin, répondit la crasse d'Anita pour faire peur à sa jeune sœur.

— Ben non, y'a pas d'ours! répliqua Eva. Ça va faire, là! On y va si on veut r'venir.

Elles enjambèrent la clôture de perches et s'avancèrent vers le petit ruisseau. C'était un cours d'eau piétiné par les vaches, qui le traversaient pour aller brouter plus loin. On aurait pu s'attendre à une jolie eau claire qui reflétait le bleu du ciel; ben non, c'était de la vase, rien de plus.

Ti-Zoune le colporteur, qui s'était arrêté un instant près de la grange des Audet pour faire boire son canasson, avait vu la scène et n'en avait pas manqué un mot. Grand amateur de farces en tout genre, il imagina en trois secondes d'aller faire peur aux demoiselles. Il avait vu plus tôt une vieille peau de carriole qui avait été déposée sur la clôture de perches pour se faire éventer. Ça pue énormément, des peaux de carriole, du fait que ça ramasse la poussière des chemins; le plus souvent qu'on pouvait, on les mettait dehors au frais. Celle-là, noire comme chez le diable et miteuse à souhait, était parfaite pour le plan que le vieux farceur avait en tête. Il la prit sous son bras et s'enfonça dans le sous-bois, en faisant un détour pour ne pas être vu des cueilleuses. Toutes affairées à ramasser les bleuets les plus dodus et les plus foncés, les filles ne virent pas venir la menace. Notre homme se jeta alors à quatre pattes à terre, se mit la pelisse sur le dos et commença à grogner dans leur direction. Anita fut la première à réagir.

— UN OURS !

Elle prit ses jambes à son cou sans même vérifier si ses sœurs la suivaient. Il arriva ce qui devait arriver : en s'engageant vers le ruisseau, elle s'enfargea sur une roche et tomba la face directement dans une bouse de vache fraîchement sortie de la shop. Elle se releva, la face ben brune.

Le colporteur hurlait de rire.

— Aie pas peur, ma grand' fille ! C'est juste moé, Ti-Zoune ! Ha ! ha ! ha ! Tu devrais te voir la face, t'es aussi sale que moé ! Ha ! ha ! ha !

Si Anita avait eu des fusils à la place des yeux, le colporteur aurait été pas mieux que mort, troué de bord en bord comme une écumoire.

— C'est pas drôle, Ti-Zoune !

Eva avait du mal à retenir son fou rire. Ti-Zoune, elle l'aimait bien, et sa sœur… ben disons que ça faisait du bien de voir son orgueil remis à sa place une fois de temps en temps. Elle aida quand même sa cadette à se nettoyer du mieux qu'elle put. La jeune fille faisait peine à voir.

— Arrangez-vous donc avec vos maudits siffleux de bleuets ! cria Anita. Moé, j'rentre !

Le colporteur s'en voulait quand même un peu. Ça aurait pu mal virer, sa blague. Pour se faire pardonner, il tendit sa grosse main calleuse vers Anita et l'aida à se relever.

— Viens, belle enfant. Tu te choisiras un ruban dans mon butin pour arranger tes beaux cheveux. Gratis ! C'est pour me faire pardonner. Mais lave-toé avant, pour l'amour du ciel ! Je voudrais pas que tu gâches ma marchandise. Ha ! ha ! ha !

Une fois le colporteur et Anita partis vers les bâtiments, les trois sœurs se remirent à l'ouvrage et remplirent leurs bols. Elles arrivèrent à la maison au moment où un crachin de pluie commençait à tomber. Les nuages, au-delà du rang de la Fourche, ne laissaient rien présager de bon.

Le temps maussade rendait Eva nostalgique. La jeune femme se mit à repenser à la petite des Tanguay. Elle ressentait un besoin viscéral de la prendre dans ses bras. Ça faisait assez longtemps qu'elle l'avait pas vue ni qu'elle s'était réfugiée dans la chaleur de la maison de Léontine. Regardant par la fenêtre pour voir si la température avait empiré, elle attrapa un châle pour se couvrir. Elle avait bien le temps de faire un saut chez les voisins avant le dîner. Sa mère et son père étaient à l'étable pour au moins une heure encore: un commerçant, monsieur Blouin du rang de la Pointe-Lévis, s'en venait choisir des porcs. Le peu d'argent que rapportait la vente d'un gros porcelet était pas à dédaigner, et de l'argent sonnant, il en fallait pour survivre à Saint-Cajetan. Mais c'était toujours long avec Blouin. Avant de choisir une bête, il pouvait la peser dix fois avant de se décider. Leur mère disait souvent de lui qu'il avait pas inventé le bouton à quatre trous.

— J'vas faire un tour, j'ai besoin d'air, annonça Eva à Annette. J'vas r'venir dans pas long.

La pluie s'annonçait de plus en plus. À l'horizon, très menaçants, de gros nuages s'amoncelaient. Il y aurait peut-être même un orage, car depuis deux jours, le temps était particulièrement humide. Pour dormir la nuit dans la maison, c'était une vraie torture.

Eva hâta le pas en retroussant sa jupe jusqu'aux genoux. Si sa mère l'avait vue! Les mœurs dans la paroisse ne permettaient pas à une jeune fille bien élevée de se montrer les jarrets. C'était un scandale que de dévoiler la plus petite partie de son corps. Mais il n'y avait personne aux alentours, alors Eva se dit qu'elle ne risquait pas grand-chose.

Bien vite, elle arriva chez les Tanguay. La maison était tranquille, les petits étant sans doute chez les Cadrin, parenté de Léontine arrivée dans la Fourche deux ans plus tôt avec armes et bagages, et une trâlée d'enfants. Les grands devaient être avec leur père, quelque part autour des bâtiments de la ferme. Joseph était un homme aimable et un père dévoué. Avec son air tranquille, il dégageait la bonté. Eva n'avait jamais été mal à l'aise en sa compagnie. Mais aujourd'hui, elle avait besoin de la chaleur maternelle de Léontine. Elle cogna discrètement au cadre de porte: si la petite Eva dormait, elle s'en serait voulue de la réveiller.

— Entrez!

La cuisine embaumait la bonne soupe. Léontine était assise dans sa berçante, les deux pieds sur un petit baril de bois. Une couverture couvrait ses jambes. Doucement, elle berçait son bébé. Elle était épuisée par ses grossesses successives, mais trouvait la force de se dévouer corps et âme pour sa famille. Et pour ça, Eva la respectait énormément.

— Ah, c'est toé! Quelle bonne surprise! Viens, ma grande. R'garde, j'ai encore les jambes ben enflées. Plus j'ai d'enfants, plus c'est long avant que je m'en remette comme y faut! C'est sûr que j'rajeunis pas, non plus.

Eva lui sourit. Léontine avait l'air heureuse en dépit de l'inconfort. Sa petite dans les bras, la maman semblait parfaitement comblée. Eva l'enviait, sans malice aucune.

— Bonjour, madame Léontine. Je passais pis je me suis demandé comment allait votre Eva. Elle a-tu ben grandi?

— Viens voir par toé-même, l'invita Léontine.

La petite souriait déjà et de jolies bouclettes ornaient son front. En plus de son nez, elle avait les yeux de sa mère. Ces ressemblances devaient être une source de grande fierté.

— Elle a l'air si ben avec vous…

— Oui, j'aime garder mes bébés tout près de moé, surtout la première année. On sait jamais avant un an si la Grande Faucheuse viendra pas les chercher. J'en ai déjà assez mis en terre comme celle-là.

Après deux mort-nés, Léontine était restée craintive. Personne devait s'occuper de ses bébés, sauf elle. Bien sûr, la plus vieille de ses filles pouvait jeter un œil sur le berceau pendant qu'elle allait étendre son linge dehors, mais pas plus longtemps. Elle voulait surtout pas revivre le deuil d'un de ses enfants, car porter en terre sa progéniture avait ravagé son cœur.

Eva essaya de la rassurer.

— Voyons, c'est des superstitions, ça, madame Léontine.

— On rit pas avec ça, ma noire, surtout quand on en a déjà enterré.

Eva frissonna. Elle aussi savait ce que c'était que de vivre le deuil de son enfant. On pouvait pas oublier cela.

La jeune femme sentit monter en elle le besoin de se confier sur sa maternité. C'était pour ça qu'elle était venue, après tout. Elle profita donc que Léontine lui avait ouvert la porte pour se lancer.

— Justement, j'aimerais ben gros vous parler de ça, si vous voulez ben…

— Oh, Eva! On parle pas du malheur si on veut pas qu'y frappe à notre porte! Ma mère me disait souvent ça.

— Je vous en prie. Ma mère me dit rien, à moé. Et pis, j'ai besoin de…

Elle hésita un moment. Par quel bout commencer la discussion? Comment se livrer, même à cette femme qu'elle considérait comme son amie? Pas facile de parler tout en respectant les conventions. Puis, le souvenir de l'accouchement de Léontine l'envoya dans une nouvelle direction.

— Madame Léontine, j'aimerais savoir pourquoi, le jour de votre accouchement, vous aviez l'air d'avoir tant peur du docteur. Je vous sentais tellement crispée, vous trembliez presque. Ça me fatigue depuis des mois.

Léontine se raidit. Elle regarda de côté comme pour fuir et ses lèvres frémirent. Nerveuse, elle se mit à se bercer un peu plus rapidement, sans s'en rendre compte probablement. Eva sentit qu'elle avait mis le doigts sur un secret que Léontine gardait bien enfoui en elle.

— Pourquoi aviez-vous peur ? insista Eva.

— Les choses de femmes, on n'en parle pas, on les endure en silence. Tu vas l'apprendre, ma p'tite, c'est comme ça !

Eva soupira profondément. Trop de cachotteries, trop de pleurs et de souffrances enfouies, là, au plus profond d'elle-même, remontaient à la surface. Sans penser aux conséquences de ses paroles, elle laissa tomber :

— Justement, j'en suis une... une femme. Pis j'veux parler ! J'dois parler ! J'ai déjà mis au monde un enfant, moé aussi, Léontine !

Elle baissa les yeux, attendant une réaction. Elle était quand même soulagée d'avoir déballé son sac ; elle ne voulait plus nier la vérité. Oublier ce moment où elle était devenue mère, elle avait pas pu. Elle devait le dire, le crier s'il le fallait. Tout sauf l'oubli. On peut pas oublier l'être qu'on a le plus aimé, et ce, même sans l'avoir connu. Porter un enfant pendant neuf mois, c'était plus que le connaître, c'était faire un avec lui, et cela, à jamais.

Madame Tanguay regarda le beau visage d'Eva. Comme elle avait l'air brisé. Elle avait mis un enfant au monde ? Mais quand ? Et de qui ? En bonne chrétienne, Léontine refusa de la juger. Comment blâmer une femme quand on est soi-même porteuse d'un secret et contrainte à bien des choses afin de le garder pour soi ?

Elle tourna la tête vers l'écurie. Son Joseph avait toujours été bien doux avec elle. Mais jadis, c'était pas Joseph qu'elle avait aimé en premier. Le souvenir d'un certain Mathias lui revint en tête. Mais Mathias était juif et les juifs, on pouvait pas les marier. C'étaient des impurs, que son père disait. Pourtant, elle l'avait tant aimé, jusqu'à lui donner sa virginité un soir d'été, près d'un petit ruisseau. Avec tout l'amour que son cœur pouvait contenir, elle lui avait donné son corps. Elle n'avait pas eu de regrets, elle l'avait désiré. Mais Mathias avait pas pu rester auprès d'elle, le père de Léontine l'avait chassé de sa terre.

Une grande peine l'avait envahie jusqu'à ce que Joseph, son cousin et voisin, vienne la consoler. Mieux valait Joseph qu'un autre, car Joseph, lui, l'aimait depuis longtemps. Et il acceptait l'enfant que Léontine portait déjà dans son ventre. Ben oui! Un autre petit prématuré était venu au monde. Peu de temps après la naissance de leur enfant, un beau garçon nommé Napoléon, le couple avait déménagé à Saint-Cajetan. Pas au village, mais dans le rang de la Fourche Est, où personne les connaissait. C'était plus facile de faire taire les mauvaises langues et c'était plus pratique comme ça. Léontine regarda doucement Eva et lui demanda:

— T'avais quel âge, ma pauvre fille?

Eva redressa la tête. Dans les yeux de Léontine, c'était pas des reproches qu'elle voyait, mais bien de la compassion. On aurait même dit de la tristesse refoulée depuis bien longtemps. Eh oui, Léontine la comprenait.

— J'avais quatorze ans. J'ai été prise de force. Vous me croyez, hein?

— Oui, mon Eva, j'te cré sur parole. T'sais, t'es pas la première à avoir vécu ça, et tu seras malheureusement pas la dernière non plus.

Le chagrin se lisait sur le visage de Léontine. Pas un autre viol! Pauvre gamine… Au moins, elle, c'était l'amour qui lui avait donné son enfant illégitime. Alors que pour Eva…

— Et le bébé, y est où? lui demanda-t-elle. On l'a jamais vu. Tu l'as-tu donné?

Eva sentit une boule lui monter dans la gorge. Enfin, elle pourrait parler de son fils. Toute tremblante, elle regarda Léontine et, avec une voix tellement faible, presque inaudible, elle dit:

— Y est arrivé mort-né. Je l'ai même pas vu, j'ai même pas pu le prendre dans mes bras.

Elle pleurait, la pauvre Eva. Elle pleurait sa vie, sa jeunesse, ses rêves de famille, son fils. Madame Tanguay se leva, posa son bébé dans son berceau, puis serra la jeune femme dans ses bras. Elle la consola comme on console un enfant en grande tristesse. Elle connaissait sa douleur, car elle affrontait la même chaque nuit. Quand la maisonnée était endormie, le souvenir de ses deux enfants décédés revenait la hanter. La perte d'un enfant, on s'en remet jamais. Puis, repoussant légèrement Eva pour mieux la regarder dans les yeux, elle lui dit :

— C'est-tu ta mère qui t'a accouchée, Eva ?

La jeune femme la fixa avec surprise.

— Non, c'est le docteur Patry. Y est venu chez nous cette nuit-là. C'est lui qui était là.

Léontine se raidit. Rien que le nom du docteur lui faisait lever le cœur.

— Patry ? Pourquoi lui ?

— Maman a pas voulu m'assister toute seule. Vous savez, elle a perdu trois garçons, elle pensait que je pourrais être comme elle. Faut croire qu'elle avait raison…

— Je l'aime pas, le docteur Patry, laissa tomber Léontine. Il fait venir la mort, c'te maudit médecin. Je l'aime pas pantoute !

Eva était étonnée de la dureté de Léontine, c'était tellement pas son genre.

— Vous pensez que vos bébés défunts, c'est à cause de lui ?

La mère de famille détourna le regard vers la fenêtre. Elle savait que ce qu'elle allait confier à sa jeune amie était très sérieux. Elle voulait surtout pas être entendue. Eva était tout oreilles.

— T'sais, mes bébés, j'les ai entendus geindre à leur naissance. Toués deux. Oh ! ben sûr, j'étais un peu dans les vapeurs. Quand Patry est seul pour faire l'accouchement, il nous assomme souvent avec un peu de chloroforme. Y dit que c'est pour nous détendre. Moi, je pense que c'est pour nous étourdir… Y m'a dit que les bébés étaient déjà morts dans mon ventre, les deux fois. Mais moi, je jurerais sur ma vie que je les ai entendus.

Elle revivait ces naissances en elle et tentait de reconstruire sa mémoire, mais il y avait comme une brume autour de ses souvenirs. Eva, de son côté, cherchait la logique. Des mort-nés ne pleurent pas, la mort fait pas de son. Alors, se pouvait-il que la vie ait été là ? Se pouvait-il que la mort ait été préméditée ? Non, on pouvait même pas penser à ça. Seul le diable en personne aurait pu de sang-froid tuer un bébé. Mais si oui… comment? On s'en serait rendu compte. Et le chloroforme, dans tout ça? Elle aussi en avait reçu du docteur Patry…

Eva se fit violence pour arrêter de penser, trop d'images, trop de peurs montaient en elle. Elle se leva rapidement.

— Y faut que j'rentre chez nous.

Léontine attrapa la jeune demoiselle par le bras. Elle la sentait dépassée par les événements. Pourtant, Eva venait de remuer chez elle des questionnements restés trop longtemps sans réponse.

— Le tien, l'as-tu entendu pleurer?

— Pas pleurer, non. Je crois avoir entendu un gémissement… mais c'est brouillé dans ma tête. J'pourrais pas jurer de ça, moé.

— Ta mère, elle l'a-tu entendu, elle? Elle devait être là?

Eva se remémora la scène. Il y avait si longtemps… Puis soudain, un souvenir très précis.

— Ma mère était partie chercher quelque chose en bas… J'étais toute seule avec le docteur.

Léontine regarda de nouveau par la fenêtre, comme pour vérifier que personne arriverait comme un cheveu sur la soupe.

— C'est comme ça qu'y fait, j'pense. Y s'assure d'être tout seul. Y les fait pas pleurer pis y part en vitesse les enterrer. Mais mon Joseph, lui, a vu que les deux nôtres étaient pas comme les autres bébés.

— Comment ça, pas comme les autres?

— C'est comme une malédiction, que le docteur a dit. Quand on est consanguins, quelquefois, le démon vient déformer les bébés dans le ventre des mères. Le curé nous a dit que dans ce temps-là, le bon Dieu en veut pas, de ces petits-là, et que c'est mieux qu'y soient morts. Mais moi, j'pense… J'ose même pas en parler, mais j'pense qu'ils étaient ben vivants quand ils sont sortis de mon ventre, mes p'tits. Une mère sent ça, une mère, ça reconnaît la vie, hein! Eva, tu sais ça, toé tou!

Eva était sidérée. Est-ce qu'on s'en était pris à leurs enfants? Est-ce que c'était possible, ça? Le docteur Patry était-il un fou, un tueur, un malade? Ben non, le curé ne l'aurait pas laissé faire. Le curé...

Eva se rappela la conversation qu'elle avait eue il y avait pas longtemps avec le curé Tardif. Le prêtre lui avait bien dit que le docteur «avait su gérer ça». Et si on lui avait enlevé son enfant volontairement? Si on avait voulu qu'il soit mort-né? Comment savoir, sans confronter ces hommes d'autorité que tout le village regardait comme le bon Dieu en personne? Comment en être sûre?

Eva regarda Léontine qui pleurait à chaudes larmes. La pauvre mère agrippa sa petite.

— Pleurez pas, Léontine.

Eva voulait pas parler de ses doutes à sa voisine. Elle devait faire ses propres recherches avant.

— Faut qu'j'y aille, ma mère va se d'mander où chus rendue.

— Tu r'viens quand tu veux, ma belle Eva. Tu seras toujours la bienvenue icitte, lui dit Léontine.

Eva sortit de la maison, un brin nauséeuse d'avoir brassé tant d'émotions. Un doute planait dans son esprit et ce doute était très malsain.

Elle marcha d'un bon pas, droit devant elle. La pluie tombait dru maintenant et un éclair zébra le ciel. Eva détestait la foudre, elle en avait peur. Elle se mit à courir à toutes jambes. La pluie fouettait sa figure, les larmes coulaient abondamment. Au moins, elle était plus libre maintenant qu'elle avait trouvé une confidente. Léontine avait su l'écouter sans jugement ni critique.

La jeune femme se laissa tomber à genoux dans la boue et leva les yeux au ciel.

— Mon Dieu... Pourquoi?

Chapitre 5

Depuis le début de cet après-midi d'automne 1910, le docteur Patry faisait les cent pas dans sa chambre d'hôtel. Il n'était plus que l'ombre de lui-même depuis la tragédie de 1908, quand des travailleurs du train avaient sauté avec de la dynamite[9]. Il avait beau avoir des nerfs de docteur, il avait profondément été choqué pareil. La misère, il avait de plus en plus de difficulté à la supporter, justement.

9. Le train est arrivé à Armagh Station en 1909, mais on l'a payé cher, le nouveau transport. Le 18 avril 1908, on était rendu à faire passer les rails dans le rang Sainte-Anne en allant vers les hauts du comté quand une charge de dynamite a explosé. Mais pas une petite charge, là : imaginez, la mine contenait cinquante à soixante tubes de dynamite, et on sait pas trop combien de quarts de poudre ont explosé avant que les hommes du chantier puissent se mettre à l'abri. Neuf morts en tout. Cinq hommes ont littéralement sauté avec la mine, propulsés par l'explosion pour retomber deux cents pieds plus loin. Quatre autres ont été enterrés dans les débris et n'ont été sortis de là que le soir venu. Tous étaient âgés entre seize et dix-neuf ans et étaient célibataires (une condition pour manier les explosifs), sauf un gars marié de vingt-huit ans. Figurez-vous le chahut dans le comté.

Il était arrivé par train à Québec au petit jour. Il aimait mieux voyager très tôt : on risquait moins de rencontrer une connaissance dans les wagons presque vides. Pour ce qu'il venait faire en ville, il aimait rester discret. Avec un paletot sur le dos et un chapeau de feutre calé sur le front, Horace Patry ressemblait à n'importe qui.

Depuis un an que le train passait par Armagh Station, le docteur en profitait une fois par mois pour s'évader vers la capitale. Il descendait toujours à l'hôtel Impérial, un établissement de bon goût dont le patron, vu la fréquence des visites, lui faisait du bon. Comme il surveillait ses dépenses, c'était pas pour le contrarier. Il était juste un modeste médecin de campagne après tout, payé plus souvent qu'autrement en lapins et en poulets. Ses petites visites à Québec étaient devenues une parenthèse salvatrice, pratiquement sa raison de vivre.

Sa vie était d'une banalité pathétique. Doté d'un physique frêle, de cheveux auburn quasiment rouges et d'yeux noirs comme des boutons de bottine, Horace Patry avait tendance à fuir toutes les conversations. Un rien l'intimidait. Son côté studieux et sérieux convenait pas à ses camarades de jeu. La solitude était bien vite devenue sa meilleure amie, prétexte à lire tout ce qui lui tombait sous la main. Il aimait bien les livres sur le Moyen Âge, avec ses hauts faits de chevalerie et sa royauté. Un univers qui le faisait rêver.

Horace était né dans une famille bourgeoise et bien à sa place de la haute-ville de Québec. Pas un fil ne retroussait dans ce ménage-là : les Patry étaient de ces personnes qui attendent que la vie passe suivant un cours bien ordonné. Devant le monde, ils savaient se tenir. En deux mots, ces gens étaient d'une platitude consommée.

Sa mère ayant failli perdre la vie en le mettant au monde, elle ne s'était même pas essayée à faire d'autres enfants. Le père s'arrangeait de la situation. Horace était donc fils unique. Madame Patry avait reporté sur lui toutes ses aspirations maternelles : elle voulait réussir son fils. Très tôt, elle l'avait initié aux beaux-arts, le fin du fin pour elle. Le père était contre: toutes ces fantaisies étaient bonnes pour les filles. Lui voulait que son fils suive sa trace, qu'il devienne avocat au cabinet familial. Or, la mère, toute à son projet, avait quand même fait venir par la poste un livre d'art illustré de statues italiennes et grecques à l'intention de son garçon. Des héros de la mythologie et des dieux nus, immortalisés dans la pierre. Horace le consultait en cachette de son père, bien sûr. Cet ouvrage l'hypnotisait, les corps parfaits le fascinaient.

La solitude avait fini par peser sur le garçon, qui avait désormais une ombre de barbe au menton et des boutons plein la face. La maison de ses parents vieillissants lui semblait de plus en plus accablante. Il avait besoin de voir des gens, de se divertir. S'il voulait être heureux, il devait aller vers les autres. Chez lui, on se contentait de rencontrer toujours le même petit cercle de relations, plus hautaines et guindées les unes que les autres. Les jeunes étaient souvent destinés à des mariages arrangés par des parents soucieux de conserver leur standing. Même s'il était encore jeune, Horace voyait se profiler ça avec horreur.

Ça tombait bien, le temps était venu pour lui de partir faire son cours classique. Il avait plié bagage avec soulagement, à la grande peine de sa mère qui aurait préféré le garder dans son giron. Les Patry avaient choisi un établissement scolaire très soigné. Avec sa façade en grosses pierres de taille grises et ses lucarnes à la française, le bâtiment inspirait le respect. À l'intérieur, les longs corridors étaient pétants de propreté, des peintures de gens importants tapissaient les murs, de gros lustres pendaient des plafonds. Dès son arrivée, Horace avait vu les lieux comme des salles de bal.

Une odeur de savon flottait dans l'air. Une touche de lavande lui titillait les narines. Il aimait la lavande, cela lui rappelait sa mère qui en faisait pousser au fond du jardin. Il avait vu là un bon présage. La vérité, c'est que les autorités du collège l'utilisaient pour éloigner les poux. La faute à qui? Aux quelques élèves de la campagne que l'établissement se devait d'accepter sur recommandation de tel ou tel curé de paroisse. Ces garçons-là arrivaient sans pécule, mais riches de bestioles qui leur mordaient le cuir chevelu et sautaient d'une tête à l'autre.

Horace s'était fondu rapidement dans la masse. Il avait envie de stimulation, mais il appréciait quand même qu'on lui porte peu d'attention. Il pouvait de cette façon observer tout et tout le monde à son goût. Les élèves marchaient deux par deux dans les couloirs, ce à quoi il devrait s'habituer. Les salles de classe étaient aménagées en gradins. De gros pupitres vernis étaient disposés en rangées, parfaitement alignés. Tout était planifié pour que chacun puisse bien voir le professeur… On était pas là pour perdre son temps ; les études coûtaient cher, son père lui en avait fait la remarque plus d'une fois. Il s'attendait à des résultats à la hauteur de son investissement.

Dès six heures le matin, il fallait se lever et, sans manger, aller à la messe. C'était d'obligation, et pas de passe-droit. Il fallait pas freiner les futures vocations. Après, on allait déjeuner avec les autres camarades de classe. Le silence était pas obligatoire, mais il était récompensé et bien vu des professeurs.

Horace avait pas de misère avec le silence, habitué qu'il était à être souvent seul à la maison. Parler peu pour lui était naturel, mais au collège, c'était vu comme une qualité. Il continuait donc à tout remarquer, et à garder ses remarques pour lui.

Le jeune homme était studieux et compétent dans plusieurs matières. Ses professeurs voyaient déjà en lui un homme de Dieu, en dépit de sa couleur de cheveux pas catholique. Mais lui aspirait à plus de liberté. Il avait le goût de voir le monde. Le livre d'art de sa mère lui avait donné l'envie de découvrir la Grèce, l'Italie et surtout Rome. Ne disait-on pas, dans son entourage, que Rome était le toit du monde ?

Au fil des mois, il s'était fait un ami, le jeune Uldéric Lavoie. Son seul véritable ami parmi ses nouveaux camarades de classe. Horace appréciait le calme et l'assurance de ce grand gars blond de la campagne. C'était avec lui qu'il marchait dans les couloirs entre les cours, vers le réfectoire et le dortoir, et c'était aussi avec lui qu'il faisait ses devoirs.

Fils de cultivateurs, Uldéric détestait l'étiquette de « pouilleux » que les autres lui avaient donnée, même s'il avait jamais eu de poux de sa vie. Son père et sa mère avaient économisé sou par sou pour payer ses études. Uldéric prenait donc ses travaux scolaires très au sérieux. Pas question de décevoir ses parents. Il s'était donc vite pris d'amitié pour Horace, l'un des seuls bourgeois du collège à pas avoir snobé ses origines modestes. N'empêche, comme Uldéric avait l'habitude de se faire asticoter par ses frères à la ferme, il lui arrivait de faire pareil avec Horace, pour rire. Ça fait qu'un après-midi, pendant la période d'études, le jeune homme avait pas pu s'empêcher de lancer :

— J'te r'gardais pendant la gymnastique, Patry… T'es pas ben costaud, hein ? Chez nous, on dirait que t'es monté sur un *frame* de poulet !

Horace souriait. Ces petites provocations l'amusaient.

— Regarde toé donc, Lavoie ! T'es pas mieux ben ben ! T'as les mains d'un gars de chantier !

Le visage de l'autre se durcit. Y savait pas s'il devait trouver ça drôle ou non.

— Des ambitions de curé, tu dis ? continua Horace. J'te vois mal présider la messe, tu vas renverser le vin pis casser les saintes osties ! T'es rien qu'un… lourdaud !

— Ah ouais ? fit l'autre, piqué au vif. Répète ça, pour voère ? J'vas t'la mettre dans' face, ma main de gars d'bois !

Horace savait quand son ami était près d'être choqué pour vrai, aussi détourna-t-il la conversation.

— J'ai composé un poème… Tu veux-tu que j'te le lise ?

— Arrgh… de la « pouésie » ! Vas-y donc, tu sais ben que j'peux pas m'sauver.

— Ben, j'me lance… « Ô amour… Quand viendras-tu souffler sur mes jours ? La nuit arrive avec sa solitude. Offre-moi s'il te plaît ta quiétude… »

Il arrêta net, se sentant ridicule.

— C'est tout ? demanda Uldéric, soudainement tout attentif.

— Non, mais c'est mauvais...

— C'est mauvais parce que tu y mets pas d'cœur, Patry ! T'es trop gêné, ça passe mal. C'est toujours pareil : quand c'est une autre personne qui lit, c'est différent. Passe-moé ta feuille.

Uldéric se racla la gorge. Ce poème faisait monter en lui un sentiment qu'il étouffait depuis quelque temps. Il se savait différent des autres. Différent comme on veut pas l'être. Il commença malgré tout à déclamer en regardant Horace droit dans les yeux. Peut-être y verrait-il quelque chose. Sa voix posée, chaude, faisait vibrer chaque syllabe. L'instant avait quelque chose de solennel. Il voulait en fait essayer de passer un message à son ami.

— « Ô amour... » Mon amour... « Quand viendras-tu... »

Horace fronça les sourcils. Il était troublé, sans vouloir le laisser paraître. Aussi s'impatienta-t-il.

— Arrête, c'est pas ça pantoute... T'ajoutes des mots, ça brise le rythme... C'est maladroit !

Uldéric resta surpris de la réaction de son ami. Il sentit qu'il avait commis une bévue. Il voulut se rattraper.

— Calme-toé, franchement ! J'ai ajouté deux mots, pis après ?

Le jeune homme était un peu soupe au lait. Être gauche en public était sa plus grande peur, il craignait toujours que ses manières de fermier le trahissent. Et que sa différence se voie. Il aurait aimé être le fils d'un avocat ou bien d'un notaire. Ça l'aurait rendu plus séduisant, pensait-il. Plus digne, en tout cas. Il enviait beaucoup la grâce naturelle de son camarade. Ça paraissait qu'il avait été élevé dans du coton.

Horace le regarda l'air taquin et lui dit :

— C'est correct, mon vieux. Oublie ça.

Préserver l'orgueil de son ami importait beaucoup à Horace. Jamais il aurait fait la moindre remarque sur les parents de son copain. En revanche, Uldéric savait comprendre quand Horace avait le goût de parler et quand il fallait respecter son silence. Le respect était très important pour eux, et ils en firent très vite la qualité première de leur amitié.

Les journées, les mois roulaient bon train. Les études avançaient, et bientôt, chacun aurait à choisir un métier ou une profession lors de la cérémonie des mouchoirs[10], qui avait lieu au début de la troisième année. Ici, trois choix étaient à l'honneur : la prêtrise, avec la prise du mouchoir blanc, le droit, avec le mouchoir vert, et la médecine, avec le mouchoir rouge.

Les jeunes étudiants, à cette occasion, devaient monter un à un sur l'estrade et sortir de la boîte disposée à cet effet un mouchoir de la couleur représentant leur choix de carrière. Ainsi, tous, dans l'assistance, sauraient vers quel destin l'étudiant se dirigeait. Cette soirée était très formelle. Personne devait divulguer son choix avant le grand soir. Même si, çà et là, on entendait quelques révélations précoces, la plupart du temps, on gardait le secret.

— Quelle couleur tu vas choisir l'année prochaine ? demanda un jour Horace à son copain.

— J'sais pas encore. T'sais que mes parents veulent que je sois prêtre ? Moé, je doute... Mais pourquoi tu me d'mandes ça ? Tu veux-tu copier su' moé ?

— Arrête de niaiser... Tu doutes de quoi ? De ta foi ?

Uldéric se sentit mal. Chez ses parents, l'idée de faire un prêtre de leur garçon était implantée depuis si longtemps... C'était comme tracé d'avance. Il se sentait déloyal juste à l'idée de penser choisir autre chose que le mouchoir blanc.

— T'sais, un prêtre, c'est un homme de Dieu. Il doit le représenter sur terre. Il doit tendre à la perfection... Pis moé, chus loin d'être parfait, dit Uldéric.

10. C'est d'un bon ami à moi, un prêtre aujourd'hui décédé, que je tiens la description de cette cérémonie. Il blaguait souvent avec ça : « Pour avoir l'air instruit, on avait trois choix : curé, avocat ou notaire, et médecin. » Puis il ajoutait toujours : « J'ai peur du sang, je ne suis pas menteur, donc j'ai choisi curé ! »

Horace prit conscience de la gravité du choix de son ami. Il n'avait jamais pu l'imaginer en homme de Dieu. Il était plutôt logique et mathématique. La théologie paraissait bien trop abstraite pour lui.

— J'vois pas de problème. Ça fait deux ans que j'te connais pis le seul défaut que j't'ai trouvé, c'est que tu te mets de mauvaise humeur aussitôt qu'on mentionne devant toé que quelqu'un a le rhume des foins ou que le fond de la tête lui pique...

Uldéric se mit à regarder à terre. Il riait pas pantoute. Tout en frottant ses mains sur ses cuisses, il confia :

— J'me bats avec quelque chose de plus grand qu'moé...

Uldéric regarda vers la fenêtre. C'était évident qu'il fuyait le regard de son ami. Est-ce qu'il oserait enfin se confier ? Il avait un grand secret et jamais il aurait pensé en parler à quelqu'un. Il y a des affaires qu'on doit garder pour soi, et ça, à tout prix. Des pensées secrètes qui pourraient, si elles étaient divulguées au grand jour, changer toute une vie.

Horace s'approcha de son camarade. Il avait l'air désemparé. Jamais, au grand jamais il l'avait senti si fragile et désorienté. Il se demandait pourquoi Uldéric était devenu si songeur. On aurait dit qu'il y avait de la fébrilité dans l'air et que tout pouvait basculer.

Tout à coup, la main d'Uldéric glissa doucement sur la sienne. Un mouvement retenu depuis trop longtemps. C'était comme une caresse. Une douce chaleur... si légère, mais en même temps, terriblement audacieuse.

Horace retira brusquement sa main. Pourquoi ce geste le mettait tant dans l'embarras ?

— Qu'essé qu'tu fais, bonyenne ? T'es-tu fou ? On dirait que tu veux m'flatter !

Uldéric se raidit, son visage devint rouge comme un brasier. Il avait cru comprendre que peut-être... Il lui fallait vite récupérer la situation.

— J'ai rien voulu faire... Tu m'donnes une intention que j'ai pas, se défendit-il.

Il baissa les yeux. Il avait fait une gaffe. Les paroles étaient inutiles… du moins pour le moment. Est-ce qu'il était ce genre d'homme-là? Ça se pouvait juste pas! Y avait jamais ressenti de penchant pour les hommes, voyons! C'était juste sur le moment… dans l'intimité des confidences… Horace, c'était pas «les hommes». C'était Horace. Son ami, son confident, le gars qui le connaissait le mieux au monde. Il savait pas pourquoi il l'avait touché de la main. C'était juste… naturel.

— Approche-moi plus, Uldéric… Les hommes comme toé… c'est pas mon fort!

Un jour, chez des amis de ses parents, il avait entendu une conversation où son père et un autre monsieur parlaient d'une «tapette». Ils avaient ri de cette personne, décrivant ses manières plutôt féminines et sa façon de s'asseoir les jambes bien serrées. Horace comprenait pus rien: Uldéric, avec sa carrure d'armoire à glace, ne correspondait pas au profil du tout.

Horace ramassa ses livres, se leva et à grandes enjambées quitta la salle d'étude. Il aurait voulu fuir au bout du monde. Uldéric était son seul ami, et il venait de le perdre. Pourquoi il avait fait ça? Pourquoi il avait tout gâché? Ils étaient si bien ensemble… Jamais il n'oserait lui reparler.

Toute la nuit, il avait pensé à lui. Ça ne pouvait être vrai, son ami aimait pas les hommes! C'était stupide. Pourtant, même lui, dans son enfance, il avait admiré le corps parfait d'Adonis et de Zeus. Il en avait même fait ses fantasmes, lors de la découverte de son propre corps. Plusieurs nuits, seul dans son lit, il avait regardé le livre d'art que sa mère lui avait offert, jusqu'à l'excitation. Tous ces hommes nus, prenant la pose, le faisaient fantasmer. Pourtant, il avait jamais ressenti de remords à se caresser en les regardant. C'était des gamineries… Ou bien…?

Le lendemain, en classe, Uldéric surveillait Horace du coin de l'œil. Il devait s'expliquer avant que les rumeurs partent dans les corridors. Vers trois heures de l'après-midi, on annonça qu'il y aurait une soirée de poésie au théâtre de l'école. « Horace y sera peut-être ? » pensa Uldéric.

Au souper, Horace brilla par son absence. On aurait dit qu'il le fuyait.

À huit heures, le théâtre était déjà rempli d'élèves très contents de pouvoir veiller un peu plus tard que d'habitude. On voyait partout des jeunes gens se parler et ricaner. Uldéric entra dans la salle et chercha du regard où il pouvait s'asseoir. Il vit très vite une place à côté d'Horace et s'avança vers lui.

— La place es-tu prise ?

Sans même lever les yeux, Horace lui répondit :

— Je l'ai pas achetée. Elle est à tout le monde.

Pas un regard pendant cette courte conversation. Horace était de marbre et Uldéric le sentait bien. Rien n'est plus dur que d'être ignoré de quelqu'un... Horace regardait la scène, le spectacle captant toute son attention.

Les élèves défilaient à tour de rôle en clamant leurs poèmes. Uldéric trouva la soirée interminable. Déjà que la poésie, ça ne lui disait rien...

Horace, pour sa part, se sentait à fleur de peau. La seule présence d'Uldéric à ses côtés le mettait en émoi. Il ferma les yeux et se concentra sur l'odeur qui émanait de lui, des effluves un peu terreux et piquants à la fois qu'il connaissait par cœur. Horace pouvait pas s'empêcher de regarder la main d'Uldéric. Une main forte qui semblait faite pour protéger. Le petit maigrelet à lunettes qu'il avait été dans son enfance ressentait ce besoin de protection. Il voulait qu'Uldéric le touche. Il le sentait jusque dans son bas-ventre.

À l'entracte, pendant que tout le monde se levait pour aller chercher un rafraîchissement, Horace en profita pour mettre sa main sur celle d'Uldéric. Il la serra doucement, comme pour lui demander pardon de ne pas avoir reconnu son amour. Voilà, il se l'avouait à lui-même : il aimait les hommes.

Uldéric se leva sans rien dire. Et sans regarder Horace, il prit le chemin des chambres. Son pas lent était à lui seul une invitation. Horace sut qu'à cette seconde précise, sa vie se jouait. Alors, repoussant au fond de lui les dernières barrières qu'il s'était lui-même imposées, il se leva à son tour et le suivit.

Uldéric, dans le corridor, se retourna quand il arriva à la porte de sa chambre. Pour se donner une contenance, il passa lentement ses mains dans ses cheveux. Horace pouvait déjà voir son membre se gonfler sous son pantalon. Il en fut tout excité. Non, il aurait pas peur de se montrer à cet homme.

Ils entrèrent ensemble dans la chambre, tous deux tremblants de peur et d'émotion. Ils s'embrassèrent si doucement qu'à peine leurs lèvres se touchaient. Surtout, ne rien brusquer. C'est Uldéric qui rompit le silence :

— J't'aime, Horace, dit-il en regardant son compagnon dans les yeux.

Ô amour, souffle sur nos jours…

Les mois suivants furent une suite de rendez-vous merveilleux. Horace et Uldéric s'étaient même donné un code secret pour que personne découvre leur relation. Ensemble, ils apprenaient à être des amants… Ensemble, ils inventaient des jeux et découvraient le corps de l'autre. Il y avait dans leurs étreintes tellement de sincérité et de sensualité. Dans les bras d'Uldéric, Horace pouvait se dévoiler. Son amant le rassurait et trouvait une solution à tout. La vie devant eux s'annonçait splendide… Il suffirait d'être ingénieux afin de garder leur relation discrète.

Arriva la journée de la cérémonie des mouchoirs. Tout était prévu. Horace choisirait la médecine et Uldéric, le droit. Ils pourraient ensuite facilement vivre dans une ville où personne ne les connaîtrait, avec des bureaux voisins. Aux yeux de tous, ils seraient juste de très bons amis.

Les parents des élèves remplissaient peu à peu la salle. L'air était à la fête. Tout le monde avait mis ses plus beaux vêtements. Partout s'affichaient des sourires de fierté.

La solennité était de mise. Les élèves montèrent à tour de rôle prendre le mouchoir de leur choix ; les enfants des parents plus fortunés passaient en premier. Il fallait bien donner satisfaction aux généreux donateurs ! Puis ce fut le tour d'Horace de monter et de prendre fièrement le mouchoir rouge pour signifier qu'il choisissait la médecine. Ses parents étaient fous de joie. Il serait pas avocat ? Tant pis ! Un médecin dans la famille, quelle merveille ! Tout le monde de leur quartier saurait à quel point leur fils était brillant. La mère d'Horace arrêtait pas de le cajoler.

Au vingtième rang, ce fut au tour de son amant. Uldéric se leva en entendant son nom et, très lentement, passa devant Horace sans même le regarder. Il était si beau, drapé dans sa longue toge noire. Il marchait droit devant lui, sans expression particulière. Comme quelqu'un à qui on aurait dicté quoi faire. Horace se tortilla sur sa chaise, agité d'un mauvais pressentiment.

Uldéric, maintenant face à l'assemblée, prit un grand respir et enfonça sa main dans la boîte déposée sur la table devant lui. Sans rien pouvoir faire, Horace vit son amour saisir un mouchoir blanc.

Uldéric Lavoie serait prêtre.

Horace eut l'impression qu'on lui arrachait le cœur. Il sentit tout de suite qu'une page de sa vie se tournait. Pour ne plus jamais être lue avec les yeux de son cœur. Sans attendre, il se leva et il sortit de la salle. C'en était fini des beaux rêves.

Horace Patry termina ses études en médecine et, après un bref séjour à Sainte-Claire auprès du docteur Côté, il alla soigner la variole à Saint-Cajetan-d'Armagh, une paroisse parfaite pour se faire oublier. Il ne revit jamais Uldéric. Il ne connut plus jamais l'amour. Mais il avait des besoins à assouvir et, surtout, il avait assez souffert.

Voilà pourquoi, maintenant, une fois par mois, il venait à Québec se payer un jeune homme anonyme. Une rencontre sans avenir. Une chaleur, une odeur de peau qui lui procurait le petit frisson vital pour pas mourir.

Il en venait à voir ses petites conquêtes comme une gâterie qu'on attire avec quelques sous. « Pourquoi se gêner ? pensait-il. Si c'est pas moi qui en profite, ça va être un autre. Pis je leur fais pas de mal. »

Après leur avoir donné l'argent, il les déshabillait et les regardait prendre la pose, comme les statues du livre de sa mère. Parfois il prenait le temps de les embrasser en fermant les yeux, mais le plus souvent, ça lui disait rien. Il les prenait toujours par-derrière. Surtout pour pas voir leur visage.

Chapitre 6

Les fêtes de 1910 arrivaient à grands pas. La période de l'Avent avait apporté son lot de poudrerie et de froidure. C'était presque toujours de même à Saint-Cajetan. Le froid tardait jamais à se montrer le bout du nez début novembre et décampait juste au mois de mai.

C'était le temps de faire boucherie. À cette époque-là, il fallait attendre que le froid soit mordant pour pouvoir conserver la viande dans des cannisses stockées dans les laiteries. Chaque famille tuait au moins un cochon, parfois une vieille vache. On s'aidait entre voisins, et chacun avait son rôle le jour de la corvée. Les hommes saignaient les bêtes et récoltaient le sang chaud qui était mis à bouillir avec des aromates par les femmes pour faire le boudin. Les tripes étaient lavées en vue d'être remplies de chair à saucisse. Les vieux grattaient les vessies de porc pour en faire des blagues à tabac.

Tout le rang participait, sauf Bolone. Bolone Lemelin était si vache qu'il ne faisait jamais rien… à part faire des petits à sa femme. Écoutez un peu, ils en avaient quinze. Et la bonne femme était maigre comme un piquet de clôture grugé par un siffleux, elle en pouvait plus, la pauvre. C'est ben simple, la seule fois où le bonhomme se penchait, c'était pour pogner sa femme.

— Tu me donnerais pas un morceau de viande pour mes p'tits? quémandait-il d'un voisin à l'autre. J'ai tellement mal au dos, c'est pas disable. Ma vieille a beau me frotter avec du liniment, y a rien qui marche... C'est pire que l'enfer.

Parce qu'on ne voulait pas laisser les enfants dans la misère, on donnait un petit quelque chose. On était découragé quand on voyait Bolone quêter avec son petit traîneau. On avait beau barrer les portes pour faire voir qu'on n'était pas là, il revenait quêter. Ah, pour ça, il avait du vouloir! Et il faisait pareil pour le bois. Un rondin par-ci, une petite bûche d'érable par-là... Il finissait par en avoir pour tout l'hiver.

Un jour qu'il s'était encore accroché les pieds chez les Audet, Ti-Zoune avait raconté comment Armand Dallaire avait rivé son clou à Bolone. Dallaire était le propriétaire du moulin à scie, pas loin, là où on moulait le grain et sciait les cèdres pour en faire des bardeaux et des planches. Ti-Zoune rapporta l'histoire à partir du moment où le vieux fainéant s'était pointé entre deux madriers:

— Bonjour, mon bon Armand..., avait fait Bolone. T'aurais pas un ti-peu de croûte de bois pour faire des allumes pour c't'hiver? C'est ben long, l'hiver... Pis l'matin quand ma pauvre femme se lève pour faire manger les p'tits, elle a ben d'la misère à rallumer le poêle...

— Ah, ça, quand la cheminée est frette, c'est pas un cadeau, t'as ben raison!

Dallaire était pas du genre généreux pantoute, surtout pas avec la vache à Bolone. C'était connu dans la Fourche: on n'avait pas besoin de quêteux itinérant, on avait le nôtre en permanence. Maudit Bolone. Mais la femme à Armand lui aurait reproché long comme le bras de ne pas avoir fait son devoir de chrétien en donnant rien à Bolone. Aussi avait-il répondu:

— Ben oui, mon homme... Pis j'vas aller te l'livrer... Un gars qui a mal au dos comme toé, c'pas drôle!

— Ah! toé tu me comprends! Le bon Dieu te l'rendra au centuple!

Le soir s'installait quand Dallaire était arrivé avec sa voiture chez Bolone. Ce dernier avait ouvert la porte :

— Je t'aiderais ben, Armand, mais j'ai une crampe dans le mollet… Un vré calvaire…

— Laisse faire, c'pas grave ! l'interrompit l'autre. Rentre cheu vous, j'm'occupe de toute !

Aussitôt dit, aussitôt fait. Il avait enlevé la bâche qui abriait le contenu de sa voiture et déchargé un plein char de bran de scie dans la cour ! Bolone, derrière de la vitre de sa cuisine, avait cru virer fou.

Il avait ouvert la porte pour critiquer, mais Armand lui avait coupé le sifflet tout net :

— Laisse faire pour que le bon Dieu me le r'mette au centuple, j'en ai en masse, du bran de scie ! Quiens, j'espère que celui-là est assez fin pour tes allumes ! À' r'voyure, là !

Et il s'en était allé en claquant les rênes.

L'histoire avait fait rire tout le monde (sauf la bonne femme Audet qui riait jamais). N'empêche, Bolone avait raison : l'hiver était long dans les rangs. Les bancs de neige enterraient presque les maisons. Plusieurs personnes juronnaient en disant que les lampes à huile devaient être allumées durant presque tout le jour et que ça occasionnait des dépenses en plus.

Par un matin de décembre froid à pierre fendre, la vie d'Eva prit une nouvelle tournure. À l'été, elle avait offert son aide à la patronne du magasin général Chabot, au village. Depuis que les Audet étaient arrivés en 1883, l'année de l'érection canonique de la paroisse et juste après l'épidémie de variole, la population d'Armagh avait plus que doublé. On était ben rendus dix-neuf cents et plus.

— J'ai pas besoin en ce moment, ma douce, avait répondu la dame à regret. Mais aux fêtes, sûrement : je te le ferai savoir.

Ce qui fut fait aussitôt l'Avent entamé.

La tâche d'Eva consisterait à vider les caisses de marchandises et à placer les articles sur les tablettes. Quelquefois, elle devrait répondre aux clients. Mais ça n'arriverait que rarement, car madame Chabot laissait peu sa place derrière le comptoir. La marchande générale aimait plus que tout ragoter avec les clients. Elle était d'une curiosité malsaine. En moins de cinq minutes, elle pouvait, sans qu'on s'en méfie, tirer les vers du nez à n'importe qui. Mais elle était pas méchante au fond, et Eva le savait bien.

La patronne du magasin lui avait promis cinquante cennes par jour ben sonnantes pour son travail. Bien sûr, Eva remettrait la somme à sa mère, comme contribution aux dépenses familiales. Mais il était convenu qu'elle se garderait un pécule pour ses petites affaires. Toute catherinette qu'elle était depuis quasiment deux ans, elle avait parfois envie d'une folie de femme, elle aussi. Un nouveau ruban pour son chapeau, rien de tape-à-l'œil. Elle voulait surtout pas attiser la convoitise d'un homme. Elle était réservée, presque froide, lui disait-on. C'était sa façon à elle de pas s'attirer d'ennuis. Elle l'avait appris à ses dépens : il fallait être vigilante pour éviter toute situation malencontreuse.

Monsieur Audet était pas tellement en faveur de ce nouvel emploi. Sur la ferme, il y avait tant à faire, et Eva à elle seule valait bien ses trois autres filles. Elle pouvait même atteler les chevaux en double pour labourer, comme un homme. Sa mère avait aussi montré de la résistance au projet, se rangeant à l'argument de son mari : Eva était faite forte pour aider, plus que ses sœurs. La jeune femme remporta finalement son plaidoyer en promettant à ses parents de leur donner une grande partie de ses gages. C'est en entendant résonner dans sa tête le bruit des pièces de monnaie que la bonne femme dit oui, poussant aussi son homme à donner sa permission. Cléophas Audet, à bout d'arguments, accepta donc de laisser partir son aînée pour travailler à l'extérieur.

Le village était loin de la maison familiale, mais Eva était bonne marcheuse. Le premier matin, elle se leva donc très tôt pour se rendre au village à pied et, surtout, pour monter l'enfilade de côtes sur son chemin. Qu'importe, elle se sentait libre. La neige était sèche et bien tapée. L'exercice lui ferait du bien.

En enroulant son foulard de laine autour de son cou, elle pensa que ce travail était cent fois plus sécuritaire que lorsqu'elle avait été servante chez les bourgeois de Québec. Marcher trois milles matin et soir, ça lui faisait pas peur. Plus jamais il serait question de dormir chez les boss. Les femmes d'ici disaient, et sûrement avec raison, que le diable était plus actif la nuit... Elle était heureuse de pouvoir revenir à la maison paternelle le soir sans devoir pensionner chez des étrangers.

Voyant sa grande fille sur son départ, le père Audet sortit de la grange et l'interpella :

— Eva, prends le chien avec toé. Tu vas r'venir à' nuit noire pis y a des coyotes dans les bois.

Benny était un chien très affectueux au pelage brun et lustré. Eva l'adorait. Au timbre de voix de sa maîtresse, la bête sortit de l'étable en frétillant de la queue.

— Tu viens avec moé, ça sera plus prudent.

En montant au village, rendue en haut de la côte, Eva étira le cou. Sur ce button, on voyait loin, même jusqu'à la maison des Tanguay. D'instinct, elle regarda par là en pensant à la petite Eva. Cette enfant l'avait marquée. Elle avait par sa seule présence adouci une blessure trop longtemps laissée à vif.

Eva avait déjà fait la moitié du chemin quand la neige commença à tomber en tourbillonnant doucement. Son nez dépassait de son foulard et commençait à geler ; elle força l'allure pour arriver plus vite. Elle tourna à droite à la sortie du rang de la Fourche pour aboutir à Armagh Station.

Autour de la gare était érigé un regroupement d'habitations et quelques commerces. Il y avait le magasin de monsieur Labrie et l'auberge de madame la Toune. Chaque soir, le train s'arrêtait. La tenancière aimait bien quand les voyageurs venaient prendre une tasse de thé « spécial » dans lequel ils demandaient qu'elle leur verse un peu de bagosse. C'était payant, elle était quand même pas pour dire non. Au diable la tempérance! Souvent, Eva et son père s'y arrêtaient piquer une jasette avec les gens du coin après être venus chercher des marchandises pour la ferme.

Il y avait toujours une foule de curieux pour voir descendre les passagers des wagons[11]. Dans les coins, un peu en retrait, quelques amoureux se tenaient la main. Rien de déplacé, car monsieur Gosselin, le chef de gare, l'aurait pas permis. Anita la coquette se sauvait souvent de la ferme pour venir à la gare zieuter les beaux voyageurs... et les beaux voisins. Elle venait faire la fière-pète devant les garçons, et sa mère manquait pas de l'apostropher quand elle revenait, les joues rosies.

— J'ai pas l'intention de rentrer chez les bonnes sœurs, moé! Chus pas Annette, j'veux un mari! ripostait Anita.

Annette, effectivement, rêvait juste aux anges.

Eva continua sa route vers le village. Contournant la maison au coin du Huitième Rang, elle entreprit la montée de la rue de l'Église. Le petit matin se levait. Le village se dessinait à l'horizon. Elle passa sur le pont et regarda l'eau qui coulait en un léger filet.

11. L'entrée en gare de l'express de 21 h, à Armagh Station, était le moment fort de la journée. On y voyait descendre des commerceux de bois, des arrivages de marchandises, de la parenté de la ville... Je vous dis que la Station s'est développée en pas pour rire. Une auberge, des magasins, une forge... Les bâtiments se sont mis à sortir de terre. On venait de partout pour profiter du transport: Saint-Nérée, Saint-Philémon, Buckland et même du haut de Saint-Damien. Dans la gare, aux temps froids, une petite truie – comme on appelait les poêles en fonte – se faisait chauffer ben rouge. Et là, tout le monde jasait. Il y avait une odeur de moutons, d'épinette et de parfum pas cher dans l'air. Ben oui, du parfum... Pensez pas que les gens du coin allaient écornifler à la gare en pas propres! Surtout les jeunes femmes, ça se mettait sur leur trente-six des fois que le train amènerait des prétendants. Car dans le coin, on sortait pas souvent, donc, on se mariait au plus proche, comme on disait. Ça fait que les voyageurs, ça représentait tout un attrait.

Déjà l'hiver avait pris possession de la rivière. Au loin, on voyait de la fumée qui sortait des cheminées de presque toutes les maisons. La vie se réveillait tranquillement.

En marchant dans la rue de l'Église, Eva se surprit à saluer plusieurs paroissiens. Ah! C'était pas qu'elle était farouche d'habitude, mais dans le fond de son rang, on ne voyait pas souvent du monde, et le village, on n'y venait que le dimanche pour la messe. Voir du monde la rendait heureuse.

Sur la galerie d'une maison à peine habitable tant elle était vieille, et qui avait dû être construite avec les bicoques des premiers colons vers 1858-1859, la mère Boutin, emmitouflée dans un vieux chandail de laine, la salua.

— Bonjour, Eva! T'es ben d'bonne heure, ma fille!

La paysanne était joufflue et rougie par son corset trop serré. Elle voulait cacher à tout le monde que, bientôt, un autre bébé arriverait chez eux. Elle devait bien en avoir dix. Eva se rappela l'avoir vue avec ses enfants à l'église. Ils remplissaient à eux seuls au moins quatre bancs. Eva la plaignit : pourquoi se corseter ainsi? Cette manie que les femmes avaient de cacher leur maternité... Si un jour Eva avait la chance de revivre une grossesse, pas question qu'elle s'en cache.

— Bien le bonjour vous itou, madame Boutin. Y fait pas chaud à matin!

— Oui, ça prend un bon gilet... Tu commences à travailler pour le père Chabot, y paraît?

— Oui, à matin même... J'espère que j'ferai l'affaire!

— Oh, inquiète-toé pas avec ça! Avec un sourire comme le tien, t'auras pas de problèmes avec la clientèle! Ça va trouver des prétextes pour venir faire des commissions juste pour te voir la bine. Un beau brin comme toé!

Eva baissa les yeux. La perspective de tomber dans l'œil de quelqu'un l'enchantait pas pantoute. Dans le fond, elle connaissait quasiment pas les gens du village. Il faudra qu'elle reste discrète. Au moins, ce travail la changerait des vaches et de la lessive.

Elle arriva enfin au magasin. Une grosse pancarte peinturlurée trônait en façade: «Chez Chabot, marchand désigné».

«Désigné à quoi?» se demanda Eva. L'expression l'avait toujours fait sourire.

L'extérieur de la bâtisse laissait à désirer. Monsieur Chabot était un traîne-la-patte, c'était bien connu. Et comme la patronne n'était quand même pas pour se mettre à peindre une belle pancarte elle-même et qu'elle répugnait à sortir des sous de sa poche pour payer un jeune homme pour le faire, elle endurait la vilaine affiche. À l'intérieur du commerce, en revanche, elle tenait tout propre comme un sou neuf.

Eva attacha Benny sous le portique.

— Tiens, mon chien. J'vas venir te voir au dîner. Reste icitte et couche-toé tranquille. Jappe pas, surtout! Pis surveille la pancarte pour pas qu'elle te tombe su'a tête!

Le chien se mit en boule et rentra son nez entre ses pattes avant. Avec son poil long, il aurait pas froid.

Eva ouvrit la porte et les trois clochettes de l'entrée se mirent à tinter. Madame Chabot apparut par une porte derrière le comptoir. Le magasin et les quartiers familiaux des propriétaires étaient séparés par un lourd rideau de velours, retroussé d'un côté par une cordelette garnie d'un gros gland. Comme ça, monsieur et madame Chabot avaient toujours un œil sur le magasin. Le soir, après le repas, ils montaient à l'étage où se trouvaient les chambres et le grand salon.

— Ah! c'est mon Eva qui arrive! dit-elle en souriant.

Madame Josette Chabot, la marchande générale, était ronde et courte sur pattes. Le bruit courait que le chocolat et les candies manquaient souvent sur les étalages, car la patronne les mangeait en cachette. Son tour de taille donnait raison aux bavasseurs.

Malgré ce défaut de gourmandise, la boss des lieux avait le cœur sur la main. Et elle était toujours bien mise; ses longs cheveux grisonnants étaient coiffés en un énorme chignon, retenu en place par des dizaines de pincettes. Sa robe avait pas un pli, et son tablier immaculé était bien empesé. C'était une obligation, ici, d'avoir une belle tenue : ça inspirait les clientes à dépenser elles aussi pour du beau. Ça tombait bien, car Chez Chabot, on vendait aussi des vêtements pour toutes les occasions. De la naissance au mariage, on habillait tout le monde.

La patronne regarda bien Eva. Elle était assez grande et très belle. Comment ça se faisait qu'elle était pas encore mariée ? Les jeunes hommes du coin étaient-ils aveugles pour laisser passer une pareille occasion ?

— Viens, ma belle, je m'en vas t'montrer où mettre ton manteau et tes godasses. Après ça, tu vas placer les commandes arrivées hier par le train.

Eva la suivit avec plaisir. D'un pas joyeux, madame Chabot se faufilait entre les rangées, saisit un tablier sur une patère et le passa autour de la taille de la jeune femme.

— On met toutes un tablier. C'est plus commode si on se tache. C'est pas tous des princes qui viennent icitte. Y en a même quelquefois qui sont pas mal crottés.

Eva sourit en coin.

— Chus ben prête à vous écouter. Chus pas là pour faire à ma guise…

— Ah, ça m'inquiète pas une miette, Eva. Je connais ta mère depuis belle lurette et j'sais qu'elle t'a ben montré à travailler.

Eva commença à défaire la marchandise. De la vaisselle, des fuseaux de fil de toutes les couleurs, des bottines, des clous… Il y en avait pour tous les besoins et tous les goûts. Les caisses se vidaient à vue d'œil, et les premiers clients de la journée commençaient déjà à arriver.

Madame Chabot, malgré son poids, se déplaçait à toute vitesse. Elle aimait pas faire attendre les gens pour rien et elle se faisait un point d'honneur de conseiller judicieusement ses clients.

— Va donc porter la mélasse à la cave, Eva, elle empêche les gens de passer ! Mon mari a le tour de pas faire long avec les caisses. Il les laisse tout le temps dins jambes de tout l'monde !

Les caisses de mélasse avaient été déposées à même le sol. Seigneur ! Il s'était pas donné trop de trouble avec sa marchandise, le vieux paresseux. Ti-Zoune disait toujours du marchand qu'il avait le cordon du cœur qui traînait dans la m…, ou dans le crottin, quand il voulait rester poli.

L'escalier de la cave était périlleux, surtout quand on avait des cruches de mélasse dans les mains. Y fallait pas les échapper, car leur prix serait retenu sur la paye d'Eva. L'étroitesse des lieux était propice aux accidents. Il n'y avait pas beaucoup de lumière, puisque la cave regorgeait de caisses de toutes sortes qui bouchaient les fenêtres. Une faible lueur de fanal éclairait les lieux, et quelque chose attira son attention dans un coin. Elle sursauta : une jeune fille était assise dans la pénombre.

— Qu'essé que tu fais là, toé ?

— Je compte les bouteilles de vin arrivées pour le curé.

L'inconnue devait avoir à peu près treize ans. Maigrichonne à souhait, elle avait quand même les gestes précis de celle qui connaît bien son ouvrage. Son air effacé et ses grands yeux bruns inspiraient la pitié.

— Et t'es qui, au juste ?

— Je m'appelle Henriette. Je viens de Saint-Raphaël.

Même si elle n'y était jamais allée, Eva avait entendu parler de ce village, qui était voisin d'Armagh.

— Tu travailles-tu icitte ?

— Oui, depuis un an… Mes parents sont des colons du Troisième Rang, et la terre donne pas encore assez pour nous nourrir tout le monde. C'est rien que de la roche pis des *wips*[12]. Ça fait qu'on m'a envoyée travailler au magasin pour moins tirer l'diable par la queue.

— T'es ben jeune… Tu remontes-tu chez vous le dimanche ? demanda Eva.

12. Des *wips*, c'est des bouts de branchage de deux à trois pieds de haut. Y a rien à faire avec ça à part les arracher.

— Pas tout le temps. Les parents aiment mieux pas. Icitte, on me nourrit, au moins. C'est pas toujours le cas à' maison… Je voudrais pas m'plaindre, la patronne est ben bonne.

Les deux demoiselles se présentèrent officiellement. Henriette Pouliot aima d'instinct Eva, en qui elle vit une sœur beaucoup plus qu'une camarade de travail. Les heures de labeur seraient moins longues maintenant qu'elle n'était plus toute seule, surtout le soir. Car au magasin, on finissait de travailler à six heures bien sonnées.

Henriette s'ennuyait tellement de sa famille. Elle comprenait que ses parents avaient besoin de son petit salaire, mais elle aurait aimé rester auprès des siens. Eva savait ce que la petite ressentait. Elle aussi avait dû quitter la maison à un jeune âge pour aller gagner des sous. Elle n'oublierait jamais cet épisode de sa vie… Mais ici, Henriette n'avait rien à craindre. On était pas en ville. Il pouvait rien arriver.

Eva ramassa ses cruchons et dit :

— Bon ben, à l'ouvrage. Où je la mets, la mélasse ?

Comme promis, sur l'heure du dîner, Eva alla nourrir Benny avec des restes de table que la patronne avait bien voulu lui donner. La bonne bête attendait gentiment sa maîtresse.

L'après-midi fut mouvementé. Tout le monde voulait être servi en même temps. À Saint-Cajetan, il y avait assez de monde pour faire vivre trois magasins généraux. Celui d'Onésime Noël vendait un peu de tout, même du charbon. Celui d'Alexandre Duchesneau, tout nouveau avec le bureau de poste à même le magasin, était ben pratique pour les commères qui venaient « ouèrer[13] ». Personne avait peur de la compétition, il y avait des clients en masse dans les environs.

Eva descendait souvent à la cave des marchandises plein les bras, pour y ranger des articles ou aller en chercher. Pas grave, elle

13. Écornifler, bavasser, mémérer.

était endurante. Le principal effort était de retrousser sa jupe – mais pas trop ! – pour pas tomber, et sans rien échapper !

La nuit finit par arriver. Eva était satisfaite de sa première journée de travail. Madame Chabot l'avait maintes fois complimentée.

— Tu peux retourner chez vous, Eva, y est six heures. T'arriveras demain à la même heure qu'aujourd'hui, ce sera parfait.

Eva récupéra Benny sous le portique. La neige recommençait à tomber et le vent soufflait. Ça serait pas chaud pour retourner à la maison.

Rendue à la Station, Eva se réfugia à la gare le temps de se réchauffer un peu. Le gardien lui ouvrit la porte.

— Rentre ton chien, pauvre bête, il va geler dehors ! Qu'essé que tu fais là, à pied ? C'est ben trop frette pour marcher !

— Ben justement, je viens voir si y aurait pas quelqu'un de la Fourche qui pourrait me ramener chez nous.

— Pauvre fille, le train arrive à neuf heures, tu sais ben. Y a personne encore.

Eva baissa la tête et remercia le chef de gare. Elle ressortit avec le chien et reprit son chemin.

Sur la côte à Matteau, Benny se mit à grogner. C'était pourtant pas son genre. Eva regarda au loin. Des ombres passèrent à la lisière du bois.

— Des coyotes ! Benny, reste icitte !

Mais le chien partait déjà vers eux en grognant pour protéger sa maîtresse. Distinctement, Eva vit quatre coyotes, la gueule ouverte, s'avancer en essayant de les encercler. Soudain, l'un d'eux fonça sur Benny, qui montra ses crocs, mais un autre l'attaqua par-derrière. Eva avait rien pour le défendre. Elle hurlait pour les faire fuir, en vain. Benny était attaqué de tous les côtés, ce qui lui donnait l'occasion à elle de se sauver. Elle courut droit devant, sans se retourner. C'était sa seule chance. Elle entendit une carriole qui s'approchait. Elle pouvait pas se tromper avec le bruit des grelots : c'était son père, sûrement inquiet de la voir tarder à arriver.

— J'ai mon fusil ! Grimpe !

Cléophas tira dans le tas de bêtes en furie. Il en tua deux et les autres déguerpirent. Benny gisait dans une mare de sang. Eva se précipita pour l'envelopper dans son foulard.

— Ti-Zoune est chez nous. C'est lui qui m'a dit qu'il avait vu des coyotes au ras du bois. J'ai tu-suite pensé que tu pouvais avoir besoin. Bon chien, il a voulu te défendre, dit le vieux en ramassant l'animal pour le mettre dans la voiture.

« Merci, mon Dieu, de m'avoir inspiré à matin ! Sans le chien, ma fille serait peut-être morte à l'heure qu'il est... »

Arrivé à la maison, Eva aida son père à rentrer Benny dans la grange puis courut à la maison aviser le colporteur.

— Ti-Zoune ! cria-t-elle en faisant irruption dans la cuisine. Benny est en sang, les coyotes l'ont presque tué !

— Mon doux, dit Paula en se couvrant la bouche des mains, tandis qu'Annette se rua sur sa sœur pour voir si elle était blessée.

Le colporteur se leva d'un bond.

— J'ai du fil pour recoudre les vaches dans ma charrette, répondit-il en enfilant sa pelisse. Sa mère, t'as-tu de l'alcool pour désinfecter ?

— Oui... mais t'es mieux de pas en boire, mon verrat !

Ti-Zoune prit la bouteille en jetant à la vieille un regard qui tue, et sortit avec Eva sur ses talons.

Dans l'étable, le chien se lamentait. Ti-Zoune arrosa les plaies de la bête avec l'alcool, puis, de ses grosses paluches, il se mit à le recoudre avec toute la délicatesse du monde. Benny geignait, c'était à fendre l'âme. Eva lui caressait doucement la tête sans pouvoir retenir ses larmes.

— Y va s'en sortir... C'est un champion, c'te chien-là... Hein, mon Benny ?

Benny lécha la main de Ti-Zoune avant de fermer les yeux pour se reposer.

— Maintenant, ma fille, tu iras travailler avec la jument. C'est pas des chemins à faire à pied l'hiver à la noirceur, conclut Cléophas.

❧

Les jours avant Noël s'écoulaient rapidement. Henriette et Eva passaient tout leur temps à faire l'emballage des colis des clients. Des rubans de toutes les couleurs jonchaient leur table de travail. Il fallait ben ajouter un peu de frivolité aux cadeaux, car tous les colis étaient entortillés dans du papier kraft, même les candies, qui constituaient la majorité des offrandes.

Au centre du magasin, le gros poêle L'Islet chauffait à plein régime pour contrer le froid qui rentrait chaque fois qu'un client ouvrait la porte. C'était le coin des grandes conversations. Les hommes marchandaient les biens dont ils souhaitaient se départir. Un veau, une poule, tout se monnayait. Madame Chabot avertissait toujours la bonne de pas laisser les petits venir près du feu. Pour le moment, la fille engagée les avait amenés voir la crèche à l'église. Les enfants des clients, en revanche, il fallait toujours les surveiller pour ne pas qu'ils se brûlent.

En cette fin d'après-midi, Eva cherchait sa patronne: il n'y avait plus de place dans le magasin pour mettre les nouvelles caisses de bottines, il lui fallait les clés du hangar. Elle grimpa les marches de l'arrière-boutique, espérant trouver la dame à l'étage. Elle atteignait le couloir quand elle entendit des voix venant de l'appartement privé des propriétaires.

— Tu m'dois obéissance… T'es ma femme! tempêtait le marchand Chabot.

— J'en peux plus! T'es pire qu'un étalon… T'es toujours raide comme du fer! Y a pas moyen de t'contenter! lui répondait sa femme.

— Le curé, tu sais ce qu'y t'a dit… Tu dois me satisfaire, c'est ton devoir!

— J'veux pus d'enfants… J'veux pus que tu m'engrosses… Chus pas une truie pour accoucher à chaque année!

— J'ai pas fait vœu d'abstinence, moé. J'me sens, pis tu m'as juré obéissance devant l'autel!

— Va au diable ! Tu r'lèveras pas mes jupes icitte, c'pas vrai !

Eva frémit. Elle entendit monsieur Chabot tirer une chaise sur le plancher et se diriger vers le passage. Dans un mouvement rapide, elle se cacha derrière une tenture et retint sa respiration. Le patron passa tout près d'elle sans la voir.

— Maudite bonne femme… J'vas m'vider moé-même !

Eva sentit monter la peur en elle. Telle une proie, elle venait de repérer un prédateur. Madame Chabot passa à son tour devant elle et prit l'escalier. Eva attendit quelques minutes avant de redescendre sans faire de bruit. Elle longea le mur et disparut derrière une pile de boîtes vides. Son cœur battait à tout rompre. Si le vieux cochon tentait un tant soit peu de s'en prendre à elle, elle le verrait venir. Elle avait maintenant de l'expérience.

— Eva, Eva ! appela madame Chabot.

Eva sursauta.

— Oui, chus là ! répondit-elle en se replaçant les cheveux.

— Viens m'aider a' caisse, viens envelopper les effets

La jeune femme devait oublier la conversation qu'elle avait entendue. Des chicanes de couple, c'était fréquent, et c'était pas à elle de juger. Son passé devait pas hanter ses journées… Elle eut tout à coup comme un vertige. Des images envahissaient son esprit.

Elle reprit peu à peu son calme. Son patron pouvait bien demander de la tendresse à son épouse, c'était pas de ses affaires. Le curé arrêtait pas de prêcher sur les devoirs du mariage. Dieu merci, Eva était pas mariée. Elle était libre comme l'air, et voulait le rester pour toujours.

Elle regarda par la fenêtre du magasin. De gros flocons de neige tombaient, laissant un immense tapis blanc.

CHAPITRE 7

On y était enfin arrivé. Comme chaque année, les fêtes avaient été attendues dans la famille d'Eva. Madame Audet et ses filles avaient cuisiné pendant de longues heures en prévision des réveillons qui allaient se succéder. Les victuailles allaient pas manquer : pâtés à la viande, marinades de toutes sortes, desserts... Ah, les desserts ! C'était pas le grand décorum, mais ça faisait se lécher les babines de plaisir : les pets-de-sœur, les grands-pères dans le sirop d'érable et la tarte au suif[14] valaient leur pesant d'or pour les habitants. Il fallait de la nourriture en masse pour remplir la panse de tous ceux qui viendraient veiller. C'est beau, les sentiments chrétiens, la naissance du Christ et le plaisir des retrouvailles, mais pour la mère Audet, ce qui comptait véritablement, au fond, c'était que les voisins en aient plein la vue devant sa table.

14. Au suif, vous dites ? Ben oui : on ramassait le gras des bœufs ou des vaches de boucherie, on le faisait fondre en y ajoutant du sucre du pays et une pincée de cannelle, et on flanquait ça sur une pâte à tarte. Un vrai délice.

— On se privera un peu en janvier, marmonna-t-elle. Mais là, y faut que je mette le paquet. L'année passée, chez les Cadrin, j'ai eu le feu au fond de culotte quand la gueuse d'Armande a sorti ses tartes à' farlouche... avec caramel maison! Ah! m'as y en faire, des farlouches, moé!

Le réveillon du jour de l'An n'était que dans une semaine et il y avait encore beaucoup à faire. Le poêle à bois dérougissait pas. Quand on montait se coucher le soir, on avait l'impression de passer à *steam*.

Mais pour l'heure, il fallait se préparer pour la messe de Noël. Des beignes refroidissaient sur la table de la cuisine; on les mangerait au retour de l'église. Eva avait tout juste eu le temps de les faire en revenant du magasin général. L'odeur de friture l'enrobait maintenant comme un voile. «Ben coudonc! Y'a pire...» se dit-elle en se tortillant une mèche de cheveux derrière l'oreille. Elle avait travaillé jusqu'à sept heures du soir. Tout le monde avait besoin d'un dernier cadeau... ou bien de quelques friandises. Il y avait juste à Noël qu'on se gâtait un peu. Ça coupait l'hiver en deux.

Vers onze heures, tout le monde était prêt à partir. C'était à la dernière minute en pas pour rire, mais mieux vaut tard que jamais, comme on dit. Les dévotions au petit Jésus, c'était sacré. Madame Audet avait mis la table. Tout serait prêt quand on reviendrait pour le réveillon, mais avant, il fallait aller à confesse et assister à la messe de minuit, dans le plus grand respect.

Le père Cléophas alla atteler les chevaux.

Monsieur Audet avait beaucoup vieilli depuis cette nuit où il avait enterré son petit-fils. Pas une journée ne passait sans qu'il pense à lui. Le garçon aurait eu treize ans dans moins de deux mois. À quoi il aurait ressemblé? Est-ce qu'il aurait eu ses mains, fortes et larges, bonnes pour l'ouvrage? Ah! qu'il aurait aimé partager avec lui ses travaux de la ferme! La misère de cette nuit funeste d'hiver l'avait rapproché de sa fille Eva. Pourtant, jamais il avait reparlé avec elle de cette nuit-là, jamais... Jamais il aurait osé briser le silence.

Perdu dans ses pensées, il l'entendit soudain l'appeler:

— Son père...? On est prêtes!

Cléophas amena les chevaux devant la maison. Le ciel était parsemé d'étoiles. L'air vif lui fit du bien.

— Pressez-vous d'embarquer, on en a pour une bonne demi-heure et plus avec c'te neige. Pis faut toutes passer à confesse. C'est Noël, les filles: faut faire le ménage de nos âmes pour accueillir le p'tit Jésus.

Madame Audet sortit, un nouveau châle cachant bien ses cheveux blancs. Elle se dandinait, pauvre vieille. Sa hanche ne voulait plus suivre... L'arthrite, avait dit le docteur. Elle avait beau se frotter avec du liniment, le mal progressait. La douleur était toujours là. Elle empoigna le bord de la carriole et, de peine et de misère, réussit à s'asseoir. Toutes ses filles étaient déjà bien installées dans la voiture.

— Abriez-vous ben avec la peau de carriole, dit la vieille. Y fait frette, pis le vent nous souffle dans' face. J'veux pas de grippe dans' maison avant le jour de l'An!

— Pas de danger avec c'te couverte-là certain, se plaignit Anita. Elle est peut-être chaude, mais elle pue le vieux cheval. On va me sentir à deux milles à la ronde!

— Ouais, mais si tu t'abrilles pas, le frette va te geler la face! riposta Paula.

Anita lui lança un regard à faire peur.

Monsieur Audet monta à son tour et resta debout; il n'y avait plus de places assises. Cléophas contempla ses filles et les trouva belles. Eva qui avait déjà vingt-six ans, avec ses longs cheveux bruns et ses yeux noisette qui renfermaient tellement de tristesse. Annette, la deuxième, qui à vingt et un ans voulait devenir religieuse. Elle aussi était brunette, mais avec de doux yeux verts. À l'été, elle partirait pour le couvent, mais avant cette séparation, il restait encore un hiver pour profiter de sa présence. La troisième, Anita, blonde comme les blés, voulait se marier et fonder une famille. Elle était en âge, avec ses dix-neuf ans bien sonnés. Les prétendants allaient bientôt retontir, il faudrait ben choisir. Et la dernière, Paula, du haut de ses dix-sept ans, voulait faire l'école. Elle avait un grand talent pour apprendre. Dommage qu'elle soit une fille... On aurait bien aimé avoir un curé dans la famille.

Cléophas claqua les rênes.

— Hue ! mon Blond ! Vas-y, la Grise !

Sans se faire prier, les chevaux se cabrèrent, et la carriole s'ébranla en tintant joyeusement. Madame Audet tira la couverture sur ses jambes. Elle regrettait d'avoir oublié de faire chauffer des briques au ras du poêle.

— Mausaise d'arthrite, se plaignit-elle, prenant bien garde de ne pas jurer pour vrai. Vous, les jeunes, vous avez pas de douleurs aux jambes ni aux hanches. Vous pourriez en faire plus pour m'aider !

Eva regardait le paysage sans écouter sa mère. Elle aimait pas l'hiver. Cette saison lui rappelait trop de mauvais souvenirs. À ce temps-ci de l'année, douze ans plus tôt, elle était cachée dans la cave. Elle avait pas eu droit à la messe de Noël, ni au réveillon, ni à un cadeau. Elle avait pu monter se réchauffer dans la cuisine pendant que tout le monde était à l'église, puis avait filé dans sa cachette froide dès que les grelots de la carriole s'étaient fait entendre. Toute la veillée, elle avait tricoté pour son bébé. Son père lui avait descendu une assiette tard dans la nuit, après que tout le monde eut fini par aller se coucher.

Au loin, on entendait quelques coyotes qui hurlaient. Ils devaient avoir cerné un chevreuil ou un orignal.

« Tout le monde aura son réveillon c't'année, à ce que je vois », pensa Eva.

Aux fenêtres de toutes les maisons de la Fourche, il y avait une belle lueur. On descendit la petite côte à Matteau, tourna vers la Station. Là, on avait le vent directement dans la face. Anita, bien sûr, en remit une couche.

— Maudit qu'y fait frette !

Le père Cléophas se retourna d'un bloc.

— J'ai dit de pas maudire ! On est la veille de Noël, pour l'amour du saint ciel !

Devant l'église, on pouvait apercevoir beaucoup de monde sur le perron. On jasait, on riait. Tous les paroissiens avaient mis leurs plus beaux habits. Il y avait même quelques personnes étrangères, sûrement de la parenté. Anita se leva drette deboute dans la carriole. Elle voulait que tous la voient. Elle était belle avec son chapeau et ses rubans dans les cheveux. Coquette, elle s'était pas caché les oreilles de peur de se décoiffer. Ah, elle avait l'air fine asteure, avec les extrémités bleues !

Dans l'église, il y avait des petits sapins, avec des chérubins en plâtre accrochés çà et là. C'est le docteur Patry qui avait rapporté ces décorations de Québec, où il se rendait souvent. Au village, quand il s'absentait, on pensait qu'il allait visiter les communautés.

Chacun attendait son tour pour la confession. Depuis six heures du soir que le curé Tardif entendait les secrets de ses ouailles, au son de l'orgue touché par madame Chabot. Les plus grands de ses enfants étaient ben cordés dans le jubé avec elle. À tour de rôle, ils pompaient l'orgue pour actionner la soufflerie. Par chance qu'ils étaient quatre, car pédaler pendant sept heures avec la messe de minuit, ça peut tuer quelqu'un à la longue. En tout cas, c'est pas l'exercice qui leur manquait, aux petits Chabot.

Deux par deux, on faisait la file devant le confessionnal. Monsieur le curé trônait au milieu comme un roi. Eva haïssait se confesser… Confier la moindre de ses pensées au curé Tardif lui levait le cœur. « J'aimerais ben ça le confesser moi-même, celui-là. »

Arriva quand même son tour. La place était dépourvue d'intimité. Les curieux du village s'installaient tout près en faisant semblant de réciter leurs prières. Ça paraissait trop qu'ils restaient là pour écornifler, leurs doigts bougeaient même pas sur les graines de chapelet. Pouvoir entendre un aveu était leur plus grand plaisir. Le curé était assis sur un genre de caisse, avec deux prie-Dieu de chaque côté. Un léger rideau donnait l'illusion de la discrétion.

Eva s'agenouilla. Elle devait attendre, car le curé fixait déjà toute son écoute de l'autre côté de l'isoloir. C'est pas qu'elle voulait entendre ce que l'autre pénitent disait, mais le moindre mot lui tombait dans l'oreille, et les points de suspension encore plus.

— Mon père, j'ai péché…

— Racontez-moi, mon enfant.

Eva aurait voulu être ailleurs. Elle se sentait pas pantoute à l'aise de partager, sans permission, la vie d'une autre personne. Elle pouvait pas se relever… Que diraient les gens ? Elle choisit donc d'attendre et d'essayer de se murer dans ses pensées. Peine perdue.

— J'ai profité d'une fille…

Eva se raidit. C'était la voix de monsieur Chabot.

— Pourquoi ? Votre femme ne fait pas son devoir ? lui demanda le curé.

— Elle me refuse, mon père. J'ai beau essayer de l'approcher… elle refuse… Alors j'ai succombé. Pardon.

Une crainte envahit la jeune femme. Il avait « profité » de qui ?

— On t'a vu ? demanda le prêtre, passant au tutoiement.

— Non, mon père… J'en suis sûr, pis elle parlera pas. Ça, j'y ai bien faite comprendre.

Le curé Tardif se racla la gorge.

— Elle a quel âge ?

— Je pense douze, treize ans…

Eva en avait la nausée. Vieux cochon sale ! L'histoire se répétait. Comment pouvait-on briser une vie entière pour satisfaire une envie perverse ?

— Tu l'as prise juste une fois ? demanda le curé.

— Pardon, mon père… Mais pour bien dire, juste une fois… Elle est ben belle, la p'tite maudite… Oh, pardon pour le blasphème ! J'veux dire… elle fait exprès de remonter sa jupe quand elle monte des paquets de la cave. Mais j'ai fait ça rien qu'aujourd'hui. Pourtant, ça fait longtemps qu'elle m'aguiche… Elle arrêtait pas de m'émousser le sang ! C'est pas d'ma faute, chus juste un homme !

— Tais-toi et prie Dieu qu'elle n'engrosse pas! Y as-tu pris du plaisir? continua le prêtre.

— Oui, mon père, mais... j'ai fait ça ben vite!

— N'en parle à personne et envoie-moi ta femme. Elle va reprendre le chemin de la couchette, ça sera pas long. S'il le faut, j'irai la porter moi-même. On ne demande à vos épouses que d'ouvrir les jambes pour faire leur devoir. Envoèye, fais tes prières pis renvoie la petite au plus vite... Chasse-la de ta maison. Le démon de la luxure va partir avec elle.

— Merci, mon père.

Eva était sidérée. Pauvre Henriette! Pauvre enfant, pas formée et déjà déflorée! Maudits hommes... Maudite vie de marde! Eva avait aucun scrupule à faire sonner ce mot dans sa tête, et il y résonnait aussi fort que les cloches du jugement dernier.

Pas question qu'elle reste là, de toute façon, aucun mot n'aurait pu sortir de sa bouche. En tirant le rideau du confessionnal, Eva arriva face à face avec son patron, la figure rougie, qui sortait de l'autre côté. Il la regarda dans les yeux pour vérifier si elle avait entendu quelque chose. Eva afficha son plus beau sourire. Rien laissait paraître qu'il avait été démasqué.

— Joyeux Noël, monsieur!

Malgré la honte que lui avait sûrement inspirée sa confession, Chabot avait l'air tout excité. Il toussota et la salua en baissant légèrement la tête.

— Joyeux Noël à toé tou, Eva. Pis à toute ta famille.

Il s'en alla s'asseoir dans le banc familial, convaincu que la demoiselle avait rien entendu. Demain, bien sûr, il renverrait la petite Henriette. S'il fallait qu'il l'ait remplie... Il fallait s'en débarrasser au plus vite. Une raideur au bas-ventre monta en lui. Demain. Mais cette nuit, il irait lui souhaiter lui-même un joyeux Noël. Pourquoi ne pas en profiter un peu, vu qu'elle était encore là? « J'ai rien qu'à sortir avant la fin de la messe et aller la voir. Elle doit être encore cachée dans' cave... » Résolu, il se concentra sur la messe qui commençait.

Eva regardait partout. Elle avait beau s'étirer le cou, pas de trace d'Henriette. Elle ressentit un danger familier. Quand elle était jeune fille, elle ne pouvait pas comprendre ce que ce frisson sur son échine signifiait. Maintenant, elle savait. Un prédateur était actif, mais c'était pas elle, la proie. C'était Henriette qui s'était fait passer dessus. Eva devait se rendre au magasin sans tarder pendant qu'il y avait personne. À la fin de la messe, dans le brouhaha des uns qui viendraient récupérer leurs chevaux dans la grange des Chabot et des autres qui rentreraient à pleines portes dans le magasin pour s'échanger des vœux avec la parenté du village, elle pourrait pas s'approcher de la petite.

La messe commença en grande pompe. Les petits servants de messe, avec leurs jolis surplis, suivaient le curé.

— *Dominus dixit ad me. Filius meus es tu, ego hodie genui te Alleluia!*

Les ouailles répondirent. Tout le monde avait le cœur à la fête.

Tout de suite après le credo, après s'être assurée d'avoir l'oreille de sa mère, Eva fit mine de se lamenter.

— J'ai mal au cœur, môman. L'odeur de l'encens mêlée avec l'odeur de naphtaline... J'vas sortir prendre l'air.

— Va nous attendre au magasin général, d'abord, répondit sa mère.

La jeune femme ne se fit pas prier. Henriette ne devait rien comprendre de ce qui lui arrivait... Il fallait vite se rendre auprès d'elle. Eva sortit de l'église et, à grands pas, traversa la rue.

Henriette n'était pas au comptoir du magasin. Eva descendit directement à la cave. Elle savait d'instinct qu'Henriette se terrerait comme un animal blessé. Une lampe à huile brillait dans un coin. On n'entendait pas un bruit.

— Mon Henriette, t'es où? T'es où? chuchota Eva.

Un petit sanglot se fit entendre. Si faible... C'est là qu'Eva l'aperçut. Elle faisait pitié, recroquevillée derrière un tas de caisses. Sa jupe remontée entre ses cuisses... Elle avait bel et bien été agressée par Chabot avant la messe.

— Viens, ma douce, viens voir ton Eva.

— Le patron m'a chicanée... pis il m'a prise, sanglotait la pauvre enfant.

Elle tremblait comme une feuille.

— Je sais ce que tu viens de vivre, faut pas que t'aies honte, j'vas t'aider, lui dit doucement Eva.

— Je voudrais me laver le bas, j'veux me débarrasser de... ça!

Un haut-le-cœur étouffa le reste de sa phrase.

— Bouge pas, j'vas t'chercher une guenille pis de l'eau. Après, on va jaser.

Il y avait toujours une chaudière d'eau derrière l'escalier pour laver les cruches de mélasse qui collaient trop. Et des guenilles, c'était pas ça qui manquait dans un entrepôt. Eva devait faire vite. La messe finirait bientôt et plusieurs personnes n'attendraient même pas la communion avant de partir. Il y aurait du monde au magasin avant longtemps. Elle empoigna donc le premier torchon convenable qui lui tomba sous la main et s'empara de la chaudière. L'eau était froide. Tant pis.

Eva n'eut pas le temps de retourner vers Henriette que déjà elle entendit Chabot descendre l'escalier. Le porc, il était donc ben sorti de bonne heure! Eva ne bougea pas. Le marchand s'en alla droit où était la petite. Eva se sentit comme un loup. Le goût de la vengeance montait en elle. Sans faire de bruit, elle s'approcha. Son esprit ne pensait plus à rien d'autre qu'à dompter le monstre.

L'homme, debout, avait déboutonné son pantalon. Tenant son engin dans sa main, il le déposa comme un trophée sur une bûche de bois, près d'Henriette.

— Viens, ma belle... la table est mise pour ton réveillon!

Soudain, Eva surgit en saisissant le tisonnier de la fournaise laissé par terre puis se rua sur son patron. De toute la force de son être, elle donna un coup direct sur le membre exposé. Le sang gicla. Les yeux de Chabot roulèrent dans leurs orbites. Il étouffa lui-même ses cris de ses deux poings avant de s'effondrer sur les genoux.

— En veux-tu encore un coup, maudit verrat ? cria Eva. Les bonshommes comme toé, on les traite comme des bêtes ! J'ai ben envie de t'épocher !

— Eva ! Arrête ! hurla Henriette.

La petite s'était relevée. Elle regardait Eva dans les yeux, effarée de voir sa bonne amie si discrète transformée en furie.

— J'vas te tuer si tu parles à qui que ce soit, espèce de rat mort ! Pus jamais tu vas toucher à une enfant ! menaça Eva.

Les genoux de l'homme claquaient, il allait perdre connaissance. Son pénis était fendu sur toute la longueur. Une bouillie, ni plus ni moins.

— Va expliquer maintenant au docteur pis à ta femme comment tu t'es faite ça. Pis au curé avec, tant qu'à faire ! Maudit pervers !

Eva prit la main d'Henriette en la tirant vers l'escalier.

— Viens, Henriette, je t'amène chez nous... Icitte, c'est le diable qui va venir fêter.

Chabot finit par s'écrouler sur le plancher de terre battue. Lui tournant le dos, Eva poussa Henriette pour remonter l'escalier de la cave. Elles allaient ensemble retrouver leur dignité. C'était certain qu'elles ne retourneraient pas travailler chez les Chabot. Eva expliquerait tout à son père.

Personne n'était encore arrivé dans le magasin. Eva se dépêcha de ramasser dans un vieux sac de toile les quelques possessions de la jeune fille, tandis qu'Henriette attachait tant bien que mal son manteau sur son corps tremblant. Elles sortirent en claquant la porte et se blottirent sur la galerie, attendant les Audet. Pas de danger que Chabot leur mette la main dessus, Eva était sûre qu'il remonterait pas de la cave de sitôt.

Chapitre 8

Dans la nuit de Noël, une fois les filles montées se coucher après le réveillon, Eva avait raconté à Henriette l'histoire de sa grossesse et la mort de son enfant. Henriette l'avait écoutée, les yeux grand ouverts. Désormais, elle ne voyait plus Eva comme une vieille fille qui aurait pas été choisie, mais comme une femme qui avait ben souffert dans sa vie pis qui trouvait encore moyen de rester debout. Elle aussi, elle serait capable.

Eva prit soin de rassurer sa jeune protégée sur ce que Chabot lui avait fait subir : non, ce n'était pas de sa faute. Elle prit aussi la peine de l'informer sur les choses de la vie et sur le fonctionnement de son corps. Elle avait, bien sûr, tenu sa mère à l'écart : la bonne femme Audet aurait sûrement pas compris pourquoi Eva se donnait le trouble d'instruire Henriette. La petite comprit très bien qu'il fallait qu'elle surveille ses saignées. Et si celles-ci tardaient, Eva lui fit promettre de lui écrire. Elle espérait ardemment que la mère Pouliot soit plus compréhensive et tendre avec sa fille que sa propre mère l'avait été avec elle. Henriette oublierait jamais le viol, on peut pas oublier des choses comme ça. Mais l'amour de ses parents lui procurerait sans doute un léger réconfort. Le temps, lui, ferait son œuvre pour atténuer les marques dans son corps et son âme.

Entre Noël et le jour de l'An, Eva avait tout raconté à son père. Il en fut bouleversé, comme on s'en doute, et se jura de ne plus jamais remettre les pieds chez les Chabot. Sa mère, pour sa part, avait eu droit à une version arrangée pour la tranquilliser et pour pas qu'elle pose de questions : madame Chabot les avaient congédiées, elle et Henriette, faute de travail après les fêtes. Cléophas était monté au bureau de poste de la Station pour envoyer une lettre au père de la petite, lui expliquant que sa fille était chez lui et qu'il devait venir la chercher. C'était pas à lui de rentrer dans les détails, mais à Henriette de se raconter quand bon lui semblerait. Les larmes avaient coulé quand Henriette était partie rejoindre sa famille.

Eva savait bien que Chabot garderait le silence pour toujours. Il aurait trop à perdre en disant ce qui s'était passé. Il y a de ces choses qu'on cache à jamais. Mais Eva, après avoir estropié son patron, était satisfaite de savoir qu'il porterait pour toujours dans sa chair la marque de son méfait. Les hommes s'en sortent trop souvent sans séquelles. Celui-là paierait pour les autres. Un jour, peut-être, elle pourrait aussi se venger de son agresseur… Perdre sa virginité dans de telles circonstances, pour une jeune fille, avait des conséquences énormes.

En dépit du drame du 24 décembre, le jour de l'An s'annonçait joyeux. Il avait fait beau toute la journée. On avait eu le temps de fricoter les dernières victuailles. Les voisins avaient été conviés à souper.

On avait lavé la maison de fond en comble. Épousseté les rideaux et battu les tapis. Tout devait reluire. On avait sorti la plus belle vaisselle. Les maigres économies, amassées au fil des ans, servaient à embellir la vie. Madame Audet avait même fait un sapin de Noël. Elle y avait accroché des cocottes de pin et des guirlandes de papier. Cléophas avait interdit d'y mettre des bougies. C'était, comme il disait, pour les riches. En réalité, le père Audet, depuis l'incendie de sa grange, avait une sainte peur du feu. Pas grave, on avait décoré avec ce qu'on avait pu trouver. Des branches de sapinage ornaient les fenêtres, et une grappe de pimbina rouge sang était accrochée sur la poutre de la cuisine à la place du gui. Malheur à celle qui passerait dessous avec son cavalier, qui pourrait alors lui voler un baiser. Personne y trouverait à redire... C'était la coutume.

La soirée serait belle avec les chants traditionnels, les danses et les histoires fantasques. Aussitôt que la noirceur arriva, on alluma bien vite les petites bougies alignées sur la table. C'était fête et il fallait qu'on le voie. Les odeurs des bons petits plats mettaient l'eau à la bouche. On avait même droit, ce jour-là, à un peu de vin de cerises à grappes, même si les femmes appréciaient pas trop quand leurs hommes descendaient dans la cave, supposément pour aller voir comment leur hôte « avait rangé ses petits tonneaux de boisson ». Il fallait bien prendre un petit coup pour fêter l'arrivée de 1911, non ?

Avant que les invités se pointent, monsieur Audet procéda à la bénédiction paternelle. Cette tradition était très importante pour lui. Il voulait attirer sur ses filles, agenouillées avec leur mère devant lui, les bontés du ciel. Il les bénit donc d'un signe de croix rempli de tout l'amour de son cœur.

Les invités s'annoncèrent à tour de rôle. La plupart étaient des voisins proches ; les membres éloignés des familles restaient chez eux, les distances étaient trop longues à couvrir jusque dans la Fourche. Les premiers furent les Tanguay. Avec leurs neuf enfants, c'était très impressionnant de les voir arriver. Le plus vieux, Napoléon, avait les yeux bleus de sa mère. Grand gaillard de vingt-six ans, il était toujours pas marié. Pourtant, il était beau à voir. Il y avait dans sa démarche une sorte de noblesse. Plus d'une fille avait essayé de lui faire les yeux doux et de lui mettre la corde au cou, mais Napoléon en avait jamais fait de cas. Il avait quelqu'un de bien précis en tête, et depuis longtemps à part de ça.

Puis, il y avait ses trois sœurs, Juliette, Germaine et Ilda. Ensuite c'était Victor, grand et musclé, qui portait fièrement ses dix-huit ans. Quatre autres filles constituaient le reste de la fratrie, dont la petite Eva était la dernière. Léontine avait pas eu d'autre grossesse depuis, et c'était ben tant mieux aux yeux de son mari.

Napoléon avait toujours trouvé Eva Audet de son goût. Depuis le temps qu'il la connaissait! Au début, c'était juste la fille des voisins qui venait aider sa mère avec les petits. Puis, les hormones aidant, il s'était mis à voir Eva autrement et à guetter ses visites. Et à traîner autour de la maison plus longtemps que de raison chaque fois qu'elle y était. Son père le rappelait alors à la grange ou aux champs: Napoléon se revissait la casquette sur la tête et repartait à ses besognes, l'image d'Eva flottant dans son esprit. Elle avait ce petit air sérieux d'une fille qui sait tenir sa place, en plus d'être belle en démon. Napoléon était très terre à terre. Les extravagances, c'était pas son fort. Eva Audet était parfaite. À plus d'une reprise, il avait essayé de l'approcher. Mais chaque fois, elle l'avait éloigné gentiment. Il croyait qu'elle était simplement gênée, aussi tenta-t-il encore de l'aborder en ce soir de réveillon.

— Bonsoir, Eva.

— Bonsoir, Napoléon.

— Chus ben content que tes parents nous aient invités! Ta mère sait faire les choses en grand.

— C'est ben normal, entre voisins.

Napoléon attrapa doucement la main de la jeune femme. La regardant dans les yeux, il y déposa un doux baiser. Jamais il n'était allé aussi loin dans la démonstration de ses sentiments. Eva se sentit mal à l'aise et retira bien vite sa main, les yeux baissés.

— Je voudrais pas te faire perdre ton temps… Tu vois, Napoléon, j'pense pas…

— Pourquoi, Eva? Chus pas si mal de ma personne. Chus travaillant pis je pourrais te faire vivre convenablement. Toués deux, on est plus qu'en âge de penser à notre avenir. On est prêts pour autre chose. Moé, en tout cas.

Eva regarda fixement Napoléon. Elle voulait surtout pas le blesser. Il était beau, il était bon. Elle savait qu'il ferait un mari digne de confiance et un bon père de famille, mais pas pour elle. Elle fit un pas de reculons.

— Chus pas celle qu'y te faut, faut que tu me crèyes. Laisse-moé, s'il te plaît, implora-t-elle.

— Donne-moé ma chance avant de dire non, Eva! Essayons un peu, pour voir?

Mais Eva refusa d'en entendre plus et s'éloigna rapidement vers le poêle, prétextant devoir brasser la soupe. Pauvre Napoléon! Il l'imaginait sans doute vertueuse, et elle pouvait pas lui avouer qu'elle n'avait plus sa virginité depuis belle lurette. L'innocence du premier amour lui avait été enlevée. Il méritait quelqu'un de mieux. C'était un bon gars. Elle aurait pas supporté de lui mentir, et elle ne pourrait jamais plus offrir sa pureté à un homme.

Napoléon s'assit loin d'elle, alluma sa pipe, comme pour mettre, avec sa fumée, une barrière entre lui et sa douce. Il ne la comprenait pas... Elle avait l'air si fragile et, pourtant, si dure en même temps.

Son regard s'accrocha à Annette, sa sœur. Ah, elle, c'était bien différent. Tout le monde dans bien grand savait qu'elle voulait devenir religieuse. Personne aurait osé lui faire des avances, ni même faire une plaisanterie déplacée. Avec Annette, on parlait de la pluie et du beau temps, pas plus. On lui laissait ses bondieuseries.

Anita était son opposée. Farouche en rien, elle aimait la vie et voulait mordre dedans. Ses cheveux toujours bien coiffés et sa tenue bien mise, elle était continuellement en train de séduire. Napoléon savait qu'elle laissait pas son frère Victor indifférent, de même que deux ou trois autres gars du canton. Ce qu'il savait pas, c'est que la mère Audet reprochait à sa fille ses franfreluches et ses sparages. Anita aimait faire tourner les têtes et sa mère s'en faisait un sang d'encre. Elle avait un tempérament tellement volage, ça la mettait hors d'elle. Le père Audet, lui, voyait bien que le sang de sa fille bouillait dans ses veines, alors il s'arrangeait toujours pour qu'elle soit pas loin d'Annette. C'était son ange gardien, en quelque sorte. Elle surveillait la pudeur de sa sœur et c'était pas rare qu'elle lui rabatte discrètement les jupes sur les chevilles. Anita avait la mauvaise manie d'en montrer un peu trop au goût de la moralité. Pour son dire, se montrer les chevilles, ça faisait de mal à personne, et elle y prenait un méchant plaisir. Napoléon chercha la jeune Paula du regard, mais la trouva nulle part. Cette enfant était la discrétion incarnée.

Après le souper, on tassa les tables pour danser quelques sets carrés. Une fois l'an, on s'en donnait la permission, même si monsieur le curé dénonçait très fréquemment en chaire cette « pratique du démon ».

Cléophas saisit son accordéon. Anita s'émoustilla aux premières notes. Elle avait repéré depuis son arrivée le beau Victor. La demanderait-il à danser ? Elle le trouvait très beau, bien musclé. Mais ce qui était plaisant dans toute cette affaire, c'est qu'il semblait être sensible à ses charmes. Quelques fois durant l'été, ils avaient marché dans le rang, côte à côte. Rien d'officiel, mais disons que ça se reniflait. Annette essayait bien de suivre, mais à vrai dire, Anita la tassait facilement.

— Va donc réciter un chapelet, si tu comprends c'que j'veux dire, hein ?

Et Annette s'en allait plus loin. Elle était pas obstineuse, Annette.

La musique commença et tous ceux qui voulaient danser se mirent en rond. Anita regardait en direction de Victor. Cet imbécile bougeait pas. On aurait dit une statue de sel. Sans attendre, elle se dirigea vers lui.

— Tu me fais-tu danser, Victor ?

— Ben, t'es vite à soir, toé !

— T'es donc vieux jeu ! C'est pas une demande en mariage que j'te fais ! J'veux juste danser. C'est pas souvent qu'on en a l'occasion dans' maison !

Sur ces mots, Anita tira Victor par la manche. Le pauvre gars n'eut d'autre choix que de la faire tournoyer, même s'il aurait aimé mener la danse, au propre comme au figuré.

— Prenez votre cavalière, c'est la p'tite promenade des dames ! chanta Cléophas.

Eva était au bras de monsieur Tanguay, et Léontine, de son grand Napoléon.

Tout en tourbillonnant, Anita regardait Victor droit dans les yeux et, comme pour l'intimider, ouvrit les lèvres pour y passer doucement sa langue. Victor en devint tout rouge. Qu'est-ce qu'elle pensait, Anita Audet, qu'il était fait en bois ? Il sentit son pantalon se tendre.

La danse continuait, on changeait souvent de cavalier. Au dernier refrain, Anita se retrouva une fois de plus dans les bras de Victor. Il la tint nerveusement par la taille. La sueur lui montait au collet. Anita, le plus discrètement possible, glissa la main de Victor directement sur ses fessiers. Son regard se voulait invitant. Aucun doute dans la tête du garçon : la fille voulait ben plus qu'un bécot sec sous le pimbina.

La danse finit bientôt, et tout le monde se sépara. C'était le temps de se conter des histoires. Madame Audet avait le tour de se dérhumer fortement quand le conteur en mettait un peu trop. Les détails trop salés étaient surveillés.

Vers deux heures du matin, chacun repartit enfin chez lui. On se souhaita une dernière fois la bonne année. Léontine, sur le pas de la porte de la cuisine des Audet, distribua gentiment ses consignes à ses garçons :

— Victor, aide ton père à mettre les petits dans la carriole. Ils dorment pis on va essayer de pas les réveiller. Pis si y a pus de place pour t'asseoir, tu retourneras à' maison à pied. Couvre-toé ben, mon grand. Napoléon va embarquer sur les lisses, je vais avoir besoin de lui en arrivant.

Monsieur Audet et sa femme serrèrent les mains de tout le monde. Puis Cléophas demanda à Anita de prendre le fanal et d'aller voir si tout était correct dans la grange. Anita était découragée. Encore elle! Elle voulait aller se coucher pour rêver à son Victor, est-ce qu'on pouvait pas lui sacrer patience?

— Pourquoi Eva y va pas, elle?

Cléophas durcit le ton.

— Va, ma grande, c'est toute!

Depuis que sa grange était passée au feu, presque trente ans auparavant, Cléophas avait développé la manie de toujours vérifier ses bâtiments avant de se coucher.

Anita attrapa son châle. Tenant bien son fanal allumé, elle marcha sur le petit chemin de neige tapée qui menait à l'étable. Les étoiles brillaient dans le ciel. L'air était sec et froid. Anita, la tête pleine de rêves d'amour, prit une grande respiration. Son Victor l'avait regardée droite dans les yeux... Elle était en amour par-dessus la tête.

Elle ouvrit la porte de la grange et se sentit soudain plaquée contre le mur.

— J'ai entendu ton père t'demander de venir à' grange, chuchota Victor.

Il l'embrassa avec avidité. Sa surprise passée, Anita se laissa aller à l'étreinte. Les mains de Victor allaient partout, elles avaient faim de découvrir son corps. Il appuyait son bassin contre les jupes d'Anita pour lui montrer à quel point il la désirait. Il la souleva et, sans arrêter de la regarder, la conduisit sur une couche de foin sec. Il passa sa main sous la jupe d'Anita et la remonta vers son sexe. Il le trouva moite, comme il pensait. Confuse, la pauvre fille ne savait plus si c'était bien ou mal, si elle devait le laisser faire ou garder sa pudeur. Au fond, elle savait pas ce qui allait se passer tout court. Elle se raidit.

— Laisse-toi faire, Anita... Tu sais ben que tu veux, toé tou, soupira Victor.

Ignorant ce qu'il voulait lui faire, elle s'opposa bien timidement:

— Avant, jure-moi que tu m'aimes... Victor, tu m'aimes?

— Pour sûr que j't'aime, bâtard ! Qu'essé tu penses que je fais icitte, sinon ? Envoèye, ouvre les cuisses si tu veux que je te montre mon amour !

Anita fit un effort pour se détendre et se laissa aller aux caresses de son amoureux. Il était si beau… Depuis le temps qu'elle le voulait pour elle !

— Tu vas faire quoi ? demanda-t-elle.

— T'es pas si niaiseuse que ça, j'espère ?

Anita aimait pas trop le ton de Victor. Elle aurait voulu sonder son visage pour voir son expression. Mais il faisait trop noir dans la grange, et la lampe à huile était restée près de la porte. Elle voyait rien. Mais elle sentait ce qu'il lui faisait, par exemple. Oh oui, trop bien, même.

— Sois doux, j'ai peur !

— Tais-toé donc un peu !

Il déboutonna sa braguette, se plaça entre les jambes d'Anita et la pénétra d'un seul coup. Anita gémit de douleur. Mais Victor, sans se préoccuper d'elle, continua son va-et-vient et bientôt un râle sortit de sa bouche. Ça avait pas pris deux minutes. Les rêves romantiques d'Anita venaient de s'évaporer. Victor l'avait prise, sans paroles douces ni préliminaires.

— Ça va être meilleur pour toé la prochaine fois. C'est comme ça, pour les femelles.

— Je t'aime, répondit-elle, trop prise au dépourvu pour dire autre chose.

— Ouais, ouais.

Il se releva, reboutonna son pantalon et lança, sans se retourner :

— Pis bonne année encore !

Après son départ, la jeune fille resta quelques minutes assise sur la botte de foin. Elle avait de la paille partout dans le dos et dans les cheveux. Elle l'enleva du mieux qu'elle put, se releva, baissa sa jupe puis sortit. Elle ne regrettait rien parce qu'elle avait vraiment voulu Victor, et le voulait encore. Elle savait qu'il était l'amour de sa vie. Du haut de ses dix-neuf ans, elle l'avait choisi en son âme et conscience.

Pauvre elle, si elle avait su.

Chapitre 9

On touchait au printemps. L'année 1911 s'annonçait bonne et belle. Les corneilles étaient arrivées depuis deux semaines déjà. Il faisait beau et l'air devenait plus doux de jour en jour, ce qui était plus qu'apprécié. Mon pays, c'est l'hiver, mais vient un temps où ça va faire.

Plusieurs colons avaient commencé à entailler dans les sucreries. On avait levé les chemins de cabanes. Plusieurs avaient dû casser la croûte de neige durcie à la pelle pour pas que les chevaux se blessent. C'était toute une job: on avançait trois hommes de large et avec des pelles carrées, à fesser sur la neige pour qu'elle cède. Imaginez le labeur quand la sucrerie était située à l'autre bout de la terre, surtout quand on sait que cette dernière mesure proche d'un mille de long! C'était une moyenne distance à parcourir! Mais pour engraisser le pécule familial, qu'est-ce qu'on ferait pas, hein? Chez les habitants d'Armagh, la vente d'un peu de sucre d'érable représentait gros dans le budget. Ça fait que creuse, mon homme, pis farme-toé[15] !

— Avez-vous besoin de chaudières neuves ou de chalumeaux ? demanda Ti-Zoune en entrant dans la maison des Audet par un après-midi de mars.

— Tu pourrais cogner au moins avant d'entrer, batêche ! cria la mère, mécontente d'avoir été surprise. On a l'impression que t'es comme un coup de vent !

— *Sorry*, madame, *sorry*, j'avais les mains pleines !

— Lâche-moé ton *sorry* pis disparais !

Cléophas vint sauver son ami de la mauvaise humeur de son épouse.

— T'arrêtes pas, mon Ti-Zoune, hein ? Un beau matin, elle va te manger certain ! Mais là, tu m'vendras rien. J'ai toute ce qu'y m'faut, j'entaille pas plus. J'ai pas de garçons pour m'aider, pis les filles, ça se fatigue à marcher dans' neige avec leurs jupes.

15. En ce temps-là, presque tout le sirop d'érable de la région était transformé en pains de sucre pesant de huit à dix livres chacun. On les mettait dans des poches de jute pour les conserver jusqu'à ce que l'acheteur arrive par le train. C'était un certain *mister* Carry, un Américain, qui en avait l'exclusivité. Il avait aussi la réputation de savoir jouer avec la balance... Comme le prix était à la pesée et que la livre valait de quatre à cinq cennes, c'était à son avantage de trafiquer légèrement le poids final. Pour savoir si le pain de sucre était achetable, Mr Carry piquait son couteau dedans. Si le couteau rentrait facilement, il était classé pas assez cuit et donc refusé.

Un printemps, un producteur du coin eut la bonne idée de peser lui-même ses pains de sucre, chez lui, devant témoins. Quand le commerçant Carry arriva, il se proposa de passer le premier sur la balance. Évidemment, le poids différait beaucoup des résultats que l'habitant avait obtenus. Ce dernier s'en plaignit et tous les autres producteurs aussi. Le bonhomme Carry fut dont obligé de rajuster sa balance au risque de repartir caduc. Morale de l'histoire : à Armagh, on n'est pas des caves.

Le colporteur, vite en affaires, répondit d'une traite en enlignant la matrone du coin de l'œil :

— Ben voyons ! Mets-leur des culottes, à tes poulettes, si tu veux te faire aider ! Justement, j'ai de la toile pas chère...

La bonne femme manqua de s'étouffer dans sa tasse de thé, au grand plaisir du colporteur.

— Mon Dieu, y'est viré fou ! Des culottes aux filles !

Cléophas se dérhuma en regardant sa femme. Elle s'était fait étriver, encore ! Elle était trop prime, aussi.

— Le prix de la livre du pain de sucre est-tu meilleur que l'année passée ? On doit commencer à en jaser... ?

Le commerçant retrouva son sérieux.

— Ben y paraît que le bonhomme Carry veut pas donner une *token* de plus que l'année passée. C'est le maire qui aurait écrit pour y demander. Y fait du sucre, lui tou, pis j'peux t'dire qu'y est proche de ses cennes noires, le maire. Pis comme Carry est le seul acheteur...

— Moé, j'en r'viens pas qu'on se fasse avoir de même ! déplora Cléophas.

— Des mouchoirs pour brailler, avec ça ? renchérit Ti-Zoune. J'en ai en baptiste, en coton...

— Ah, laisse faire ! cria la matrone, exaspérée. Pas moyen d'converser sans que tu commerces ! T'es pire que les vendeurs du temple !

— Un gars s'essaye, pas vrai ? répondit le colporteur, philosophe. Pis, toujours, ton chien, y va ben, Eva ?

— À merveille, répondit aussitôt Eva. Tu l'as sauvé, mon Ti-Zoune. J'te remercierai jamais assez ! Au fait, combien pour le fil à vache ? Tu nous as pas chargé une cenne y m'semble, pas vrai, p'pa ?

— Vrai, dit Cléophas en se dirigeant vers l'armoire où était rangé le pot de monnaie.

Ti-Zoune sourit en coin, l'œil taquin.

— Je t'ai rien chargé, mon homme, c'est peut-être ben pour te d'mander une de tes filles en mariage... Ha ! ha ! ha !

La bonne femme Audet sursauta.

— JAMAIS ! Es-tu tombé su'a tête, maudit fou ? Mes filles marieront pas des traîne-la-patte comme toé certain !

— Ahhh… C'est une farce, bonne femme ! Si se marier veut dire endurer une créature comme toé, j'passe mon tour, tu peux m'crère !

Ti-Zoune rougit quand même. Il n'était pas beau, le colporteur, mais il était très généreux. Il était resté vieux garcon parce qu'il avait pas le tour avec les créatures, et puis sa physionomie l'aidait pas vraiment. Il se tourna vers Eva.

— Tu m'dois rien, ma grande fille ! C'était pour sauver ton chien, voyons donc ! Chus *peddler*, chus pas profiteur !

Et puis, avant de tirer sa révérence, il provoqua encore un brin la bonne femme Audet, pour le plaisir de la voir se pomper.

— Eille, la mère, besoin de nouvelles aiguilles ? D'une poêlonne ? D'un élixir pour les articulations ? Quand tu marches, on entend grincer les pentures de tes genoux ! Non ? Bon, ben je vais y aller, d'abord… Ben le bonjour à toute la maisonnée, on se r'voit dans une couple de semaines !

La fête de l'Annonciation aurait lieu dans quelques jours. Ici, à Saint-Cajetan, on fêtait toutes les grandes cérémonies religieuses. La fin mars, avec son ciel bleu et ses flaques d'eau, amenait les promesses de renouveau. D'ailleurs, dimanche passé à la grande messe, le curé avait annoncé l'arrivée d'une aide précieuse pour la paroisse, un jeune vicaire, monsieur Antime Percheron.

Natif de Québec, il avait fait ses études au Grand Séminaire. Âgé de vingt-cinq ans, il commençait son ministère. Tardif l'aiderait dans sa formation. Il avait bonne réputation à l'évêché, il serait un bon maître spirituel pour son apprenti.

En réalité, la venue du jeune prêtre dérangeait beaucoup le curé. Il aimait pas la proximité. Vivre sous le même toit que ce jeune étranger l'écœurait au plus haut point. Mais l'évêque avait été formel : il devait accepter de l'accueillir sans dire un mot.

Les paroissiens avaient organisé une petite cérémonie. « Modeste ! » avait ordonné le curé Tardif. Il fallait pas que le jeune vicaire se croie en ville. On était loin du château Frontenac ! Même si on n'accueillait pas tous les jours un vicaire. Saint-Cajetan-d'Armagh était pas la paroisse la plus convoitée pour commencer un ministère. Le curé Tardif, devant la joie de ses ouailles, s'était montré rétif et même désobligeant.

— Pourquoi ce luxe ? Icitte, on est trop pauvres pour fêter quoi que ce soit, avait-il dit.

Mais les marguilliers avaient pas cédé. Ils voulaient une petite réception et ils l'auraient.

— Vous voulez toujours ben pas qu'on ait l'air de pas savoir vivre, hein, monsieur le curé ? Qu'est-ce qu'on dirait de vous ? avait argumenté le marguillier en chef.

À ces mots, le religieux s'était radouci. Pas question de perdre l'admiration de son évêque.

— Soit ! Je m'incline de bonne grâce, avait-il conclu avec un sourire forcé.

L'évêque en personne vint célébrer la messe d'intronisation du nouveau vicaire, mais dans le fond, il comptait profiter de son passage pour surveiller les finances de la paroisse. Trop d'églises avaient des dettes qui frôlaient la catastrophe. Pas surprenant, avec des marguilliers illettrés pour aider à gérer la paroisse. Mais là, on avait mis le paquet. Chants choraux, aspersion d'eau bénite en abondance, enfants de chœur avec des surplis frais lavés, au diable les dépenses. Excusez la venue du diable là-dedans, tant pis si on péchait par orgueil, on ne ménagerait rien pour invoquer les faveurs du ciel. Le curé Tardif avait lui-même tout vérifié. La bonne marche de la cérémonie était primordiale. Et interdiction formelle aux servants de messe de même lâcher un pet par mégarde devant l'évêque, au risque de recevoir assez de coups de pied au cul pour le boucher le restant de sa vie.

C'est le vicaire en personne, à la demande de l'évêque, qui fit le sermon. Un sermon qui toucha profondément le cœur d'Eva Audet. Il s'agissait de l'annonce de l'ange Gabriel à Marie pour l'informer qu'elle aurait un fils du nom de Jésus.

— Toute naissance est une bénédiction. Toute femme est un vase sacré où Dieu dépose l'âme naissante d'un nouvel enfant. L'homme doit préserver sa femme de tout tourment. Il doit l'entourer d'amour, comme Dieu a entouré Marie de toutes Ses grâces. Voilà la richesse de la fête de l'Annonciation. Voilà toute la grandeur de la Vierge très pure. C'est une ode à l'amour, au mariage, à la femme et surtout à la mère.

Les paroissiens étaient suspendus à ses lèvres. Comme il parlait bien, le petit prêtre!

Le curé Tardif, pour sa part, gardait les yeux baissés. Le jeune en mettait trop. Il fallait pas donner tant d'importance à la femme. Il fallait plutôt la mater. Calmer ses ardeurs qui portaient les hommes au péché. On devait les surveiller de près, celles-là. C'était toutes des frivoles... La seule qui l'était pas, à ses yeux, avait été sa douce Maria... et encore. Tardif laisserait sûrement pas un petit vicaire sans expérience gaspiller toute sa paroisse. Des sermons comme ça valaient rien. Pire, c'était presque un poison.

« J'aurai bien le temps de le mettre au pas. Il est trop jeune pour comprendre », pensa-t-il.

Après l'office, tous les paroissiens vinrent féliciter le vicaire et lui souhaiter la bienvenue. Eva aussi alla le voir. Il avait quelque chose qui respirait la bonté, l'amour vrai.

— Vous m'avez fait du bien, avec votre sermon...

Des larmes brillèrent dans ses yeux. L'œil avisé du jeune prêtre les avait repérées. Elle avait l'air d'un petit animal. Un élan de pitié monta dans le cœur du vicaire.

— Votre nom, mademoiselle? lui demanda-t-il. Je ne connais encore personne.

— Eva Audet, je reste chez mes parents dans le rang de la Fourche qui débouche vers Saint-Damien. On est la dernière maison, au fond.

Antime Percheron avait vite compris qu'Eva était émue. Blessée, peut-être ? Son âme pure l'attirait.

— J'aurai sûrement le plaisir de rencontrer votre famille. À bientôt, mademoiselle Audet.

Il lui fit un large sourire. Cette marque de sympathie toucha Eva profondément. Ce prêtre, elle l'apprécia instantanément. Il avait le regard doux et ses paroles étaient réconfortantes. Mais déjà, d'autres paroissiens voulaient le saluer. Eva passa devant le curé Tardif, qui la dévisageait. Elle l'ignora.

De retour à la maison, elle se mit à éplucher les patates. Le dîner arrivait, toute la famille avait faim. Mais elle ne pouvait détourner sa pensée du vicaire. Son sermon sur la beauté de l'amour, sur la grandeur d'être mère, avait allumé en elle une petite flamme de bonheur.

Sa pensée fut interrompue par le bruit d'une plainte qui venait de derrière la maison. Elle sortit bien vite pour trouver Anita en pleurs, recroquevillée près du puits. Ça, c'était curieux, parce que depuis la veillée du jour de l'An, la belle était pratiquement toujours de bonne humeur. Davantage, même, depuis que le printemps avait rendu la trotte plus agréable en direction de la tasserie de foin chez les Tanguay où Anita retrouvait son beau Victor. Eva savait bien que sa sœur était en amour par-dessus la tête et que les deux moineaux s'étaient revus plusieurs fois « en secret » depuis les fêtes.

Elle se hâta vers elle. Anita semblait malade. Très malade, même. Elle était verte, pour tout dire.

— Qu'essé que t'as, ma Nita ?

Avant d'avoir pu répondre, Anita fut prise d'un gros haut-le-cœur et vomit aussitôt une giclée de bile.

— As-tu mangé quelque chose qui passe pas ? demanda Eva.

— Laisse-moé tranquille !

— Ben voyons ! Parle-moi, Anita ! T'es toute pâle…
— J'ai pris de l'huile de ricin. Fous-moé la paix.
— Pourquoi, t'es constipée ?
— Si c'était ça…

La pauvre petite éclata en sanglots. Elle pleurait sans pouvoir s'arrêter. Eva comprit : l'huile de ricin en quantité, ça déclenchait les saignées du mois. Eva avait déjà entendu sa mère en recommander à une femme du rang qui était venue la voir, désespérée. Elle se souvenait même de ses paroles : « Y vaut mieux en perdre un que de crever et de rendre les autres orphelins, tu penses pas ? » La voisine était partie avec la bouteille tandis que la bonne femme Audet avait refermé à clé l'armoire où elle gardait sa réserve. Visiblement, faire le commerce du ricin était pour elle une pratique courante, et entre femmes, on savait s'entraider.

— Depuis quand t'as pas saigné ? demanda Eva.

— Depuis la moitié des Avents… Dis-le pas à m'man ! Hein, Eva, tu diras rien ?

Eva sentit son cœur se déchirer. Une fois de plus, le malheur frappait sa famille. Elle repensa à sa propre grossesse. Des mois à rester cachée dans la cave pour faire croire à tout le monde qu'elle travaillait encore en ville. Des mois à sortir en catimini, à la nuit tombée, pour regarder les étoiles et prier le ciel pour que tout se passe bien pour elle. Mais c'était le contraire qui était arrivé. Et là, aujourd'hui, sa sœur allait vivre la même chose…

— Tu penses pouvoir cacher ça longtemps à m'man ?

— Avec l'huile de ricin, ça va décoller ! Il faut que tu m'aides, Eva !

Eva frissonna. Anita pouvait pas vivre ça… Elle regarda sa sœur dans les yeux. Elle ne la jugeait pas, elle souffrait avec elle.

— Viens, ma Nita. On va aller voir p'pa.

— P'pa ? T'es folle ! Y comprendra rien !

— Oui, y va comprendre, lui. Fais-moé confiance.

Anita, tel un ballot de foin, se laissa tirer par le bras. Elle aurait aimé rêver… rêver encore de Victor et de ses bras. Pourtant, il n'aurait pas dû y avoir de problème… Victor avait dit la dernière fois qu'il connaissait ça, les femmes. Qu'il savait quoi faire pour pas qu'un bébé reste accroché. Pauvre p'tite dinde… On empêche pas la vie de faire son chemin.

Leur père, dans son habit du dimanche, dételait les chevaux dans la grange. Quand il vit son Anita blanche comme un drap, il prit peur. Il était pas dupe, le bonhomme : un drame se passait.

— Sainte-Canisse ! Est-tu malade ? demanda-t-il à Eva sans pouvoir détourner son regard d'Anita.

— Pas comme vous pensez, répondit sa grande fille, dont l'intonation de voix ne laissait rien présager de bon.

Cléophas eut un vertige… Il avait déjà vécu ce sentiment de panique. Eva, pour lui enlever tout questionnement, fit oui de la tête. Le vieil homme laissa tomber l'attelage par terre. Pas encore ! Maudits hommes de la paroisse ! « C'est qui, c'te fois-citte, le maudit cochon qui a pas été capable de s'la garder dins culottes ? » ragea-t-il intérieurement, avant de comprendre d'un seul coup et de marmonner :

— C'est Victor… C'est ben lui… Le p'tit maudit ! J'vas y casser 'a yeule ! J'en peux pus qu'on s'en prenne à mes filles !

Anita s'affola. Elle regarda son père droit dans les yeux.

— Non, p'pa… Faites-y rien… J'le voulais… Il m'a pas prise de force… Je l'aime !

Cléophas devint rouge de colère. Eva n'avait pas envisagé qu'il aurait cette réaction.

— Tu l'aimes ? Pis tu pouvais pas te r'tenir ? Y a un temps pour ça, ma fille ! T'es pas mariée, à ce que j'sache. Tu veux faire mourir ta mère ? Pauvre vieille… Qu'essé qu'on va faire ? Mon Dieu, aidez-nous ! hurla le vieux père.

Il s'assit sur un tas de foin. Les yeux vides, comme un noyé, il regardait Eva. Il était anéanti. Pas une deuxième fois ! Il en aurait pas la force. Pourquoi il pouvait pas avoir une vieillesse tranquille ?

— Est pas prête pour se marier, pis Victor non plus… Ça durerait pas…

— P'pa…, intervint Eva, j'vas aller en parler au p'tit vicaire. Lui, y va nous aider !

Cléophas accepta. Eva avait raison ; après le sermon qu'il venait de prononcer sur la maternité, le jeune vicaire était sûrement l'homme de la situation. Anita, la tête basse, disait rien. Le fardeau n'était plus seulement sur ses épaules, et elle s'en trouvait en grande partie soulagée.

Sans plus attendre, Eva sortit de la grange et courut vers le village. Ça aurait été plus vite en carriole, mais elle voulait pas que sa mère la voie passer et se mette à questionner. Elle saurait la nouvelle assez tôt. Eva avait un seul objectif en tête : éviter que le curé Tardif s'en mêle. Jamais Léontine était revenue sur la conversation qu'elles avaient eue au printemps, trois ans plus tôt. Mais Eva n'en avait pas moins conservé ses doutes et ses questionnements. Le curé Tardif se faisait vraiment une fierté qu'à Saint-Cajetan, depuis son érection canonique, y avait jamais eu d'enfant illégitime. Elle l'avait elle-même entendu de sa bouche.

Une sueur envahit son dos. Et si on tuait délibérément ces enfants-là ?… Il y avait trop de non-dits… C'est seulement au vicaire qu'elle pouvait faire confiance. Lui, il les aiderait.

Eva courait comme si sa vie en dépendait.

Chapitre 10

Eva fut heureuse de constater, en arrivant au village, que tous les paroissiens étaient retournés chez eux. Après une telle fête, on avait dû jaser longtemps sur le perron de l'église, même si on était rien qu'à la fin mars et que l'air était cru. Il n'y avait personne devant le presbytère. Le seul problème était maintenant de trouver le vicaire sans croiser le curé.

Elle se faufila derrière le presbytère et regarda par la fenêtre de la cuisine. Le dîner était bel et bien terminé, la ménagère était en train de faire la vaisselle. Sans faire de bruit et surtout sans être vue, Eva s'avança un peu plus loin et se glissa vers la fenêtre du bureau, pour voir si le curé était en discussion avec son évêque. Si c'était le cas, Eva pourrait pas cogner à la porte sans attirer l'attention.

Le bureau était désert aussi. Par la porte ouverte, elle pouvait même voir le couloir sans personne à l'intérieur. « Coudonc, sont où, tout l'monde ? » Elle décida de faire un dernier tour de la bâtisse.

En tournant le coin de la maison du côté des bécosses, la jeune femme arriva nez à nez avec Antime Percheron. Elle fit un saut et étouffa un cri. Franchement, elle l'attendait pas là pantoute !

Le vicaire était élancé, mais pas maigrelet comme Tardif. Ses cheveux châtains et légèrement bouclés lui donnaient un air juvénile. Il marchait avec quelques rondins de bois dans les bras. Il avait pas peur de salir sa soutane, lui.

— Bonjour, mademoiselle Audet! Que faites-vous là? Excusez ma tenue... Un prêtre transportant du bois! J'étais sorti chercher des rondins dans la remise. Pauvre ménagère, elle doit tout faire ici, et elle n'est pas jeune, vous savez...

Eva le regarda attentivement. Elle avait quelques secondes seulement pour jauger son homme. Pouvait-elle lui faire confiance? Se fiant à son instinct, elle lui dit:

— Chus justement v'nue vous voir. Le curé Tardif est pas là?

— Lui et monseigneur l'évêque regardent aux finances de la paroisse, dans la sacristie, je crois. Mais si c'est urgent, je peux aller le chercher...

— Surtout pas! C'est vous que j'veux voir! lança vivement Eva.

Le vicaire fut très étonné de cette réponse. Il venait à peine d'arriver à Saint-Cajetan et, déjà, on le réclamait. Pourquoi cette jeune femme voulait-elle le rencontrer, lui? Elle le connaissait même pas. Mais il se retint de vouloir la décevoir.

— Si c'est pour une affaire paroissiale, dit-il, je ne peux...

— C'est privé... très privé, coupa Eva. Pouvons-nous marcher un peu?

— Mais bien sûr. Le temps de poser ces bûches sur le coin de la galerie et je suis à vous!

La neige collante du mois de mars alourdissait les bottes d'Eva, autant que lui pesait le secret qu'elle s'apprêtait à confier. Par où commencer? Le vicaire Percheron serait-il aussi compréhensif qu'il lui avait paru? Peut-être que le sermon qu'il avait prononcé avait été choisi par un autre que lui... Mais la façon dont le vicaire se mit à la regarder la rassura. Eva en était sûre, c'était un homme bon.

— Ma jeune sœur Anita... est enceinte. Mais elle est pas mariée.

Le vicaire la regarda avec compassion. On lui avait bien dit, au séminaire, que souvent ces choses arrivaient. Mais de là à le vivre si tôt avec une jeune paroissienne, il y avait une énorme différence. Eva lui parut effondrée, comme si elle plaidait pour réparer sa propre faute. Il se voulut aussitôt rassurant. Il lui prit doucement la main, comme s'il cueillait un oiseau blessé.

— Elle a quel âge, votre jeune sœur ? demanda-t-il.

— Dix-neuf ans… Mais c'est pas de force, elle a pas été violée… Elle dit qu'elle l'aime !

— Le jeune homme, lui, a quel âge ? renchérit le vicaire.

— Le même âge, j'pense… Ils sont ben jeunes. Y passeront pas à travers.

— Ça, mademoiselle, si vous me permettez, c'est pas à nous d'en juger, mais à eux. L'amour est fort, vous savez. Et l'amour qui conçoit un enfant, bien plus encore ! dit le jeune prêtre.

— Allez-vous venir y parler ? Ma sœur est toute en pleurs. Elle sait pus quoi faire !

Le jeune prêtre esquissa un sourire.

— Demain, avec monsieur le curé, nous pourrions passer chez vos parents…

Eva réagit tout de suite.

— Non, pas avec lui. On aimerait mieux que ce soit vous, tout seul.

Les yeux d'Eva montraient tellement de peur qu'il osa pas dire non. Pourquoi cette jeune femme repoussait-elle le curé ? C'était certain que Tardif était austère, mais comme toute paroissienne, elle était supposée avoir foi en lui… Toutefois, il promit :

— Je viendrai demain. Après la messe d'aurore.

Eva se sauva bien vite. Oui, elle pouvait lui faire confiance. Demain, avec lui, on trouverait une solution.

Mais aujourd'hui, il fallait rassurer Anita. Elle reprit le chemin du fond du rang. Tout le long du trajet, elle repensa à sa propre grossesse. Pas question que sa sœur vive pareil drame.

Une fois à la maison, elle monta à l'étage pour retrouver Anita, qui avait feint une migraine et était allée se coucher. La figure cachée dans son oreiller, elle était inconsolable. Eva s'approcha doucement, lui passa la main sur le dos. Anita se tourna vers elle, les yeux rougis d'avoir trop pleuré.

— J'en ai parlé au p'tit vicaire, dit Eva en la prenant dans ses bras. Il viendra te voir demain. Ton beau Victor, il te laissera pas tomber. Tu dis qu'y t'aime… Y va te marier. Pleure pus, ma belle.

Anita se blottit dans les bras de sa sœur. Elle s'y sentait en sécurité. Elle voulait dormir et oublier. Son Victor allait tout arranger, du moins elle essayait de le croire. N'avait-il pas dit qu'il l'aimait par-dessus tout? Elle n'avait quand même pas pu l'inventer…

Elle replaça ses longs cheveux.

— Dors avec moi c'te nuit, Eva. J'ai peur pour demain.

— Ben sûr, t'sais ben que j'te laisserai pas tomber. Paula dormira avec Annette. J'vas arranger ça.

« Comme toute le reste », pensa-t-elle.

Madame Audet sentait bien qu'il se tramait quelque chose sous son nez. Les tensions dans l'air et la morosité étaient palpables. Mais malgré ses questions, la matrone n'obtint de réponses de personne.

Le reste de la journée passa lentement pour faire exprès, et quand il fut temps de monter se coucher, tout le monde fut soulagé. Anita, remise de ses nausées et de sa fausse migraine, apaisée que quelqu'un d'autre qu'elle s'occupe de ses problèmes, s'endormit promptement, Eva près d'elle.

La nuit fut faite de cauchemars pour Eva. Elle se revoyait essayer de prendre dans ses bras son fils mort-né, mais sa mère se sauvait avec lui avant qu'elle y parvienne. La jeune femme criait, criait, mais jamais elle pouvait s'approcher ni voir son enfant.

Au petit matin, le vicaire arriva, seul. Sa jeune jument avait la broue aux babines tant elle avait couru. Aussitôt qu'elle le vit, Eva sortit l'accueillir sur la galerie. Il était homme à tenir ses promesses.

— J'ai prétexté une promenade matinale... Où est votre sœur ? dit-il en sauta en bas de sa carriole.

— Dans' cuisine. M'man sait pas encore... juste mon père. Pour l'instant, ils sont à l'étable avec nos sœurs.

— Ne vous en faites pas, je vais amener la chose doucement, promit le jeune prêtre.

Il entra, suivi d'Eva. Anita, assise dans un coin près du poêle, semblait songeuse. Elle regardait par la fenêtre pour surveiller le retour de sa mère. Elle la savait sévère et redoutait l'affrontement. Plusieurs fois par le passé, la matrone lui avait reproché ses comportements volages.

Quand elle la vit sortir de la grange, elle sursauta.

— Eva ! M'man arrive ! Laisse-moé pas tomber !

Quand la mère entra dans la cuisine et qu'elle vit le jeune vicaire, elle se raidit. Il était sûrement arrivé quelque chose. Les prêtres viennent pas comme ça chez les gens pour rien. Surtout pas si tôt le matin.

— Bonjour, madame Audet ! dit le jeune vicaire.

Anita était pétrifiée. Elle savait que son secret exploserait à la vue de toute sa famille. Elle avait honte. Elle aurait voulu mourir.

La mère Audet regarda ses deux filles et, d'un air sévère, dit :

— Bonjour, monsieur le vicaire. Si on avait su, on aurait fait du ménage, vous nous surprenez de bon matin. Mes deux autres filles sont encore à l'étable... Vous comprenez, on n'a pas eu de garçon, ça fait que les filles doivent se salir les mains un peu plus et en faire moins dans' maison.

Le jeune prêtre jugea qu'il ne fallait pas tourner plus longtemps autour du pot. Il regarda Anita droit dans les yeux et lui dit :

— Anita, tu sais pourquoi ta sœur est venue me chercher hier ?

Un silence glacial régnait dans la pièce. Madame Audet regarda fixement Eva. Elle était sur le bord de recevoir un autre coup dur, elle le sentait.

— Oui, je l'sais, dit Anita.

La coupable éclata en sanglots. Sa mère comprit d'un seul coup ce qui se passait. Elle s'assit lourdement sur une chaise posée près de la porte. Qu'avait-elle fait au bon Dieu pour vivre une autre épreuve comme celle-là ?

— C'est Victor, j'suppose ? demanda-t-elle sèchement. C'est lui qui t'a faite ça ?

— Oui, c'est lui. Mais je l'aime, m'man.

Madame Audet se releva d'un bond. En claudiquant, elle s'approcha de sa fille et la gifla de toutes ses forces.

— L'amour a rien à voir là-dedans ! Comment t'as pu me faire ça, toé aussi ? T'es rien qu'une traînée, comme ta sœur !

Tous les yeux se tournèrent vers Eva. Le passé remontait, comme une vague qui veut tout emporter avec elle. Anita regarda son aînée d'abord avec stupeur, puis avec de la rage dans les yeux.

— Comment, Eva, tu t'es déjà faite engrosser ?! Toé, la vieille fille parfaite ?!

Malgré sa tourmente, Anita éprouva une certaine joie d'apprendre ça. Sa sœur que tout le monde voyait si correcte en tout ! Eva, la grande fille raisonnable. Eva, celle qu'aucun homme pouvait approcher. La pudique Eva… L'impure Eva.

— Oui, j'ai déjà vécu une grossesse, mais elle était pas voulue… J'ai été prise de force. À treize ans.

Mais madame Audet voulait pas entendre le plaidoyer de sa fille aînée.

— Arrêtez ! Vous êtes toutes les deux coupables d'œuvre de chair ! tonna la mère. Comment vous avez pu nous faire ça, à votre père pis à moé ?

Elle en pouvait plus, elle souffrait tellement dans son cœur. Ses filles la décevaient énormément. On aurait pu penser qu'elle regrettait de les avoir mises au monde.

— Calmez-vous, madame. Nous allons trouver une solution ! s'interposa le vicaire.

La matrone regarda le jeune prêtre. Puis fut prise d'un rire mauvais.

— La solution… on la connaît déjà, la solution ! On va mettre Anita dans la cave pis faire accroire qu'elle s'est trouvé une job à Québec ! C'est comme ça que ça se passe, icitte. Le curé Tardif avait eu raison pour Eva. Personne a jamais rien su de sa faute. Pis le p'tit… on verra s'il survit.

Le vicaire en revenait pas. Comment pouvait-on faire ça à sa propre enfant ? La mettre dans la cave, comme un animal ! Et le curé Tardif cautionnait ça ?

— Je crois qu'on doit d'abord demander au père du bébé s'il veut épouser Anita, avança le jeune prêtre.

Anita releva les yeux, pleine d'espoir tout à coup. Elle allait peut-être connaître le bonheur. Marier Victor était son plus grand souhait. Elle savait que Victor voulait pas tout de suite d'un enfant, mais il pourrait s'habituer à l'idée… Avec l'aide de ses parents… Mais madame Audet avait un autre discours.

— Ah, si seulement, hein ? Mais y est parti, le beau Victor ! C'est sa mère qui me l'a dit hier après la messe ! Ça fait quinze jours qu'y est à Québec pour devenir marin ! Y a dû sentir la soupe chaude, le p'tit morveux !

Anita devint toute pâle. C'était donc pour ça qu'il lui avait pas fait signe depuis tout ce temps-là ! Elle avait pensé qu'il avait trop d'ouvrage, avec les sucres qui commençaient. Comment il avait pu partir sans le lui dire ? Elle était au bord des larmes.

— Maman, dites pas ça de mon Victor… sanglota-t-elle.

— Ton Victor… Ton Victor, c'est un homme comme les autres ! Ils engrossent les filles pis y sacrent leur camp ! T'es ben naïve si tu penses autrement, pauvre innocente ! lança sa mère.

Anita accusa le choc. Puis elle se remémora ses dernières rencontres avec son beau. Un soir qu'ils s'étaient vus près du ruisseau, elle lui avait confié qu'elle pensait bien être enceinte, ce à quoi il avait répondu qu'il allait arranger ça. Le lendemain, il était allé acheter une bouteille d'huile de ricin au médecin et la lui avait apportée. C'est de même qu'il fallait faire, lui avait dit un de ses amis. Victor avait recommandé à Anita de boire toute la bouteille pour faire « décoller la saignée ». Puis il était parti. Elle avait mis deux semaines à se décider à avaler le remède.

Madame Audet se tenait droite comme une barre. Le vicaire se releva.

— Je dois en parler au curé Tardif..., dit-il. Je crains qu'il n'y ait que lui pour avoir autorité là-dessus.

— NON ! Pas lui ! cria Eva.

Le jeune Percheron sursauta, puis il regarda attentivement Eva pour comprendre la véhémence de son opposition. Il vit à nouveau de la peur dans le regard de la jeune femme. Une peur panique. Ça commençait à le chicoter pas mal.

— Ah bon ? Et pourquoi pas ?

Eva ne retint pas ses mots, qui sonnèrent comme des reproches :

— Comprenez bien : icitte, à Saint-Cajetan-d'Armagh, y a jamais eu de bébés sans mariage. Jamais, comprenez-vous ? J'ai entendu le curé Tardif s'en vanter... Oui, se vanter de ça !

— Y peut ben, marmonna la vieille mère Audet dans son coin, c'est des bébés mort-nés qui les remplacent...

Le vicaire était ébranlé. Qu'est-ce que cette femme disait là ? Des bébés de filles-mères, il y en avait partout. Les crèches en étaient pleines, autant en ville qu'à la campagne. Alors par quel miracle – ou par quel funeste dessein – cette paroisse-ci n'en comptait pas ? Qu'est-ce qui arrivait, à Saint-Cajetan, à ces malheureux enfants ?

Mais là n'était pas la question pour le moment. Il se tourna vers Anita :

— Jeune fille, voudrais-tu te marier avec un autre, si Victor ne veut pas t'épouser ? Quelquefois, on trouve des vieux garçons qui acceptent de prendre pour femme une fille avec son... son...

— Jamais ! cria Anita. J'veux juste Victor ! Sans son amour, mieux vaut mourir !

— Parle pas de même, c'est pas chrétien ! s'inquiéta soudain sa mère.

— Jamais… répéta Anita. Plutôt le sortir moi-même de mon ventre, c't'enfant-là !

Elle parlait avec la rage au cœur. Si Victor ne la mariait pas, elle n'aimerait pas l'enfant, elle ne l'aimerait jamais.

Le vicaire se signa d'instinct. Là, la petite allait trop loin.

— Ne dites pas d'absurdités. Vous parlez de meurtre! explosa-t-il.

Anita éclata de nouveau en sanglots et se referma sur elle-même. Victor l'avait abandonnée, elle voulait juste mourir. Comme elle avait été sotte de croire en son amour ! Le vicaire se frotta le front. Il ne s'était pas attendu à être confronté à une situation si compliquée.

— Nous allons dire un *Je vous salue Marie…* pour que la Vierge nous guide vers la bonne décision à prendre, fit-il.

Tous s'agenouillèrent, sauf Anita qui, comme une statue, bougea pas d'un poil.

La prière expédiée, Antime Percheron remit son chapeau et passa la porte en promettant à la famille Audet de réfléchir à une solution. Son ministère commençait raide ! Il n'avait pas l'habitude de régler des affaires de cet ordre.

« Jamais de bébés hors mariage… Des bébés mort-nés… Qu'est-ce que ça cache ? » pensa-t-il.

Ces gens fabulaient, c'était la seule explication. Faut dire que l'instruction semblait leur faire défaut de façon pitoyable… On lui avait bien dit que les habitants des campagnes avaient des croyances pas possibles… En même temps, il avait perçu dans le regard d'Eva une telle sincérité, une telle intelligence… Il monta dans sa carriole, un air résolu sur le visage, et claqua les rênes. La vieille jument galopa bien vite vers le village.

L'évêque avait déjà quitté le presbytère quand le jeune vicaire arriva. Le curé Tardif l'attendait de pied ferme en faisant les cent pas sur la galerie.

— Où étiez-vous, Antime? Ne pas être là pour saluer notre évêque est un grand affront, d'autant plus qu'il s'était déplacé pour vous. Vous n'avez aucun savoir-vivre. Les promenades matinales sont pas permises ici. Partir, seul, sans le dire à son curé... Quand la ménagère m'a dit ça, je me suis révolté. Quel sans-gêne!

Mais le vicaire n'était pas d'humeur à subir des reproches sans tenter d'abord de s'expliquer.

— Je suis allé chez les Audet. Leur fille, Anita, a de sérieux problèmes.

Le curé Tardif le regarda dans les yeux. Des problèmes... Il se doutait trop bien de leur cause.

Fidèle Tardif se délectait déjà. Encore une fille à la patte légère... Encore une qui n'avait rien compris. Il faudra être sévère. La dompter. Une autre brebis galeuse. Pas surprenant, l'aînée avait montré le chemin de la perdition à sa jeune sœur. Noircir au maximum l'amour de la chair dans ses sermons. C'est cela qu'il devait faire. Raviver la piété. Telle était sa mission sur cette terre.

— Elle s'est fait engrosser, je suppose. Et par qui? s'enquit-il sans le moindre accent de compassion.

— Le jeune Victor Tanguay, à ce que j'ai cru comprendre, répondit le jeune vicaire.

— Tiens donc! Et lui qui est venu me dire au revoir avec sa mère il y a deux semaines. Madame Tanguay voulait que je le bénisse contre les dangers de la mer. Je comprends qu'il s'est poussé avant de porter le paquet!

Tardif était content, somme toute, que le jeune père soit parti. Il détestait ces mariages bouclés en vitesse où un homme se trouvait piégé à cause d'une idiote. Si Victor Tanguay avait préféré la marine au mariage, c'est que la fille Audet ne valait pas la peine qu'il reste et prenne ses responsabilités. Il s'occuperait lui-même du problème qui en découlait. À sa façon, bien entendu.

« Quelques mois dans la cave et un accouchement qui finit mal, c'est ce qu'il nous faut », pensa-t-il.

Le vicaire le tira de ses pensées immondes.

— Je vous avoue que je ne sais pas trop quoi faire…

— Pourquoi la petite m'a rien dit ? demanda le curé.

— Ce n'est pas elle, c'est Eva, sa sœur, qui est venue me chercher, expliqua le jeune vicaire.

— Eva, je la connais bien, la gueuse… Elle a pas de conseils à donner à personne ! renchérit le prêtre.

— Mais c'était différent dans le cas d'Eva. Elle avait été forcée. Elle m'a dit qu'elle ne voulait pas… Un viol, à ce que j'ai pu comprendre…

Le curé Tardif le foudroya du regard. Il ne comprenait rien aux femmes, ce jeune vicaire sans expérience.

— Elles veulent toutes. Les maudites, sont pires que des vipères prêtes à mordre tous les hommes qui font pas attention. Elles les aguichent, des vraies démones.

— Mais je crois…

— Vous croyez… Moi, JE SAIS. Vous êtes trop jeune, et le genre de sermon d'hier n'est surtout pas pour les aider, ces bonnes femmes en chaleur.

Le bon vicaire Percheron se sentit perplexe. D'abord, parce que le langage du curé le surprenait, mais aussi parce qu'il avait mis tout son cœur dans son sermon.

— Pardon, monsieur le curé, je me suis laissé emporter, dit-il, penaud.

— Allez plutôt me chercher le docteur Patry. J'ai à lui parler. Dites-lui que ça presse !

Le vicaire sortit du presbytère. C'est vrai qu'il n'avait pas d'expérience en la matière. Il devait faire confiance au curé Tardif.

Il se dirigea vers la résidence du docteur. Il frappa à la porte. Pas de réponse. Le médecin devait être parti voir un patient quelque part. Il laissa donc un mot sur la porte. Monsieur le curé voulait sûrement l'envoyer rassurer Anita. Pauvre enfant… Pauvre petite.

Deux heures passèrent avant que le médecin arrive chez lui. Il vit le mot laissé là et remonta tout de suite dans sa carriole. Le curé Tardif voulait le voir.

Quand il arriva au presbytère, le vicaire vint lui ouvrir.

— Monsieur le curé vous attend, dit-il.

— Oui, je sais. Y est-tu malade ? demanda le docteur.

— Non, mais il vous dira lui-même ce qu'il vous veut.

Le vicaire ferma la porte aussitôt le docteur entré dans le bureau du curé. Il fit croire qu'il s'éloignait, mais il s'arrangea plutôt pour pouvoir écouter ce qui se dirait de l'autre bord du mur. Il voulait comprendre ce qui se passait vraiment dans cette paroisse. Il serait pas déçu.

Le docteur Patry se méfiait : cette convocation chez le curé, ça sentait le plan machiavélique à plein nez. Il aurait humé l'air que le docteur aurait décelé des effluves de soufre derrière l'encaustique.

Aussitôt qu'il le vit, le curé Tardif lui dit :

— Entrez, mon ami, je vous attendais.

— J'resterai deboute, j'ai pas beaucoup de temps. J'ai des patients à voir.

Le prêtre se frotta les mains. Il se leva lentement, ajusta sa soutane.

— On va prendre le temps qu'il faut pour cette affaire. C'est au sujet de la jeune Anita Audet.

Voilà. Le démon était bel et ben dans la place.

— Qu'est-ce qu'elle a ? demanda Patry.

Il le savait trop bien, ce qu'elle avait. C'est lui qui avait vendu l'huile de ricin au jeune Tanguay.

— Elle s'est ouvert les cuisses, la garce. On va procéder comme avec sa sœur. Son histoire à elle remonte à si longtemps que les paroissiens ne se douteront de rien. Vous étoufferez le bébé avant qu'il crie. Espérons qu'elle accouchera de nuit comme sa sœur, c'est plus facile d'aller l'enterrer après. Vous savez fort bien que les voisins sont toujours source de problème dans ces cas-là. Il ne faudrait pas être vus.

Dans le couloir, le jeune vicaire était pétrifié. Tardif commandait des meurtres d'enfants !

Le docteur Patry regarda le curé droit dans les yeux, prit le temps de s'appuyer sur son bureau et dit calmement :

— Non. J'embarque pus dans vos combines.

Tardif croisa les bras et le regarda, l'œil noir.

— Vous aimeriez mieux que je dise en chaire comment se passent vos sorties à Québec ? Apprenez que je sais que vous allez pas en ville pour acheter des habits de luxe ou autres extravagances... Non, vous y allez pour consommer des jeunes hommes, n'est-ce pas ? Les payez-vous en poules et en bois de chauffage comme on vous paye, ou vous leur donnez les maigres piastres que vos patients vous sacrifient ? Les paroissiens aimeraient ben ça savoir qu'Horace Patry, LEUR CHER MÉDECIN, va, une fois par mois, sodomiser un jeune traîné de la basse-ville. Sodome et Gomorrhe, rien de moins ! Quel beau tableau... vous ne trouvez pas ?

Le docteur devint rouge de colère. Tout ce qui le retenait à Saint-Cajetan-d'Armagh, c'était justement ses pauvres patients. Il avait failli laisser sa vie à les soigner. Ils justifiaient son existence.

— Comment... savez-vous...?, demanda-t-il en s'étranglant derrière sa cravate.

— Ah, tout se sait, mon cher, je vous apprendrai pas ça à nos âges ! Figurez-vous que vous êtes pas le seul à vous rendre dans les huis-clos, on vous a vu. Et je l'ai su par le moyen le plus officiel : la confession !

Tardif bouillait.

— Les confessions sont secrètes ! Vous avez pas le droit de vous servir ni des miennes ni de celles de personne. On vous fait confiance. Vous leurrez tout le monde !

Le curé Tardif bomba le torse, comme s'il plaidait en cour suprême.

— J'ai tous les droits... Je suis le maître de Saint-Cajetan-d'Armagh.

Le docteur reprit ses esprits.

— J'ai juré de sauver les vies à tout prix… pas de tuer, répliqua-t-il.

— Justement, c'est leur vie éternelle que nous sauvons ! Pas ces petits êtres pleurnichards qui brisent la vie des autres ! hurla Tardif. Ces enfants tuent les rêves. Salissent tout sur leur passage !

Le curé était fou à lier. Et on n'obstine pas les fous, c'est ben connu. Le prêtre, dans sa démence, était à un cheveu de faire passer Horace Patry au tribunal populaire et criminel pour sodomie. C'était l'impasse : si le docteur n'accomplissait pas les vues du curé, il le serait. S'il partait en abandonnant ses patients, il serait dénoncé aussi. Le curé le tenait à sa merci, et il le savait. Le docteur baissa les bras.

— Sauvez votre vie en premier, lui conseilla le prêtre à voix basse. Et tuez-moi cet enfant.

De l'autre côté de la cloison, le vicaire Percheron n'était plus que l'ombre de lui-même. Des meurtres ! Le curé commandait des meurtres de petits anges, d'êtres innocents et purs ! Pris de panique, il s'enfuit par la porte de la ménagère. Il fallait qu'il parle à Eva Audet au plus vite. La folie de ce curé n'avait pas de limite, mais lui, il allait l'arrêter.

Chapitre 11

Chez les Audet, une atmosphère lourde planait. La mère, debout devant la fenêtre, les bras croisés fermement sur sa poitrine, gardait le silence. Réfugiée dans une colère noire, elle ignorait ses filles. Son orgueil de bonne chrétienne, de rongeuse de balustre et de paroissienne soi-disant parfaite avait trop mal.

De son côté, Eva voyait dans ces tristes événements une occasion de comprendre ce qui lui était arrivé treize ans plus tôt. En fouillant sa mémoire, elle réalisa quelque chose : c'était à la suite de confidences de sa mère au curé qu'elle avait eu droit au traitement de la cave.

« Fini les sous-entendus, fini les secrets, se dit-elle. Il est temps d'aller au boutte de toute. »

— M'man, pourquoi vous avez dit ça au vicaire ?

— Qu'essé, encore ? fit sa mère.

— Arrêtez de faire semblant de pas m'comprendre. Vous avez parlé de petits mort-nés.

Madame Audet souffla et s'assit lourdement sur une petite chaise droite. Bon. On y était. Fallait qu'elle passe à un autre genre de confesse.

En fin de compte, la vieille matrone avoua qu'elle savait tout. Oui, tout des crimes auxquels s'adonnaient le curé et le docteur. Et petit peu par petit peu, elle se mit à raconter toute l'histoire.

Trois ans auparavant, quelques mois après la déboulée de Léontine, la mère Audet était allée lui rendre visite. Ça l'avait achalée qu'Eva soit restée avec la voisine pendant le travail, sous prétexte que Léontine «avait peur du docteur Patry»; c'était sa fille elle-même qui le lui avait avoué. Elle trouvait ça louche qu'une femme qui accouche redoute son docteur. Ça avait mijoté dans sa vieille tête pendant tout un été, et finalement, parce qu'elle voulait en avoir le cœur net, elle s'était mise à faire son enquête. Avant de virer folle, elle voulait tout savoir.

Par son métier de sage-femme, elle avait eu la confidence d'autres femmes de la paroisse qui avaient caché, elles aussi, leurs filles dans la cave. Ces filles-là avaient pas juste leurs grossesses illégitimes en commun: toutes avaient accouché de bébés mort-nés. Toutes. Au total, les bébés de huit autres mères de Saint-Cajetan avaient été tués à la naissance. Parmi elles, des filles amoureuses comme Anita qui avaient levé la jambe trop vite, des filles agressées comme Eva qui avaient rencontré le grand méchant loup, et Léontine qui avait eu le malheur d'engendrer des bébés infirmes. Chacune dans son coin, ces femmes pouvaient pas comparer leur histoire à celle d'une autre, parce que ces naissances-là, secrètes ou qui finissent par une mort, on n'en parlait pas. Ou on en parlait à voix basse... C'est comme ça que la mère Audet avait fini par faire des entrecroisements, à force de récolter un peu d'information à droite et à gauche auprès des femmes qui avaient un trop-plein de secrets à déverser.

— Après ton accouchement, commença la vieille femme sans regarder sa fille dans les yeux, j'ai failli virer folle de chagrin. Dans le fond, je le voulais, c't'enfant-là... Ton père m'avait tellement mis dans' tête qu'on aurait enfin un garçon...

Eva pouvait difficilement croire à la sincérité de sa mère. Elle ne l'avait jamais vue pleurer pour son enfant. Et pourtant...

— Un jour, je me suis assise avec Léontine et j'ai commencé à raconter des p'tits bouts de ce qu'on avait vécu icitte, dans' maison... J'y ai dit que t'avais fauté à Québec pis qu'un p'tit gars en était né, mais qu'il avait pas vécu. J'avais tellement de peine! Un p'tit gars qu'on n'a jamais eu nous deux, moi pis ton père.

« Pis là, Tontine m'a dit qu'elle en avait perdu deux, des bébés, elle aussi. Deux p'tits infirmes. Elle m'a juré les avoir entendus pleurer. Une mère oublie pas ça. Le docteur lui a dit qu'y étaient morts en dedans, mais elle, elle était convaincue qu'y étaient vivants en sortant de son ventre. J'en ai rêvé pendant des nuits, de ces bébés-là.

« Après ça, j'ai rencontré sept mères dont les filles ont eu des p'tits mort-nés. Toutes des pauvres filles accouchées par Patry au lieu de par moé, la sage-femme. Toutes des filles pas de mari. Toutes des filles qui étaient passées à confesse chez le curé des mois avant, ou ben que leurs mères y avaient demandé conseil, comme de raison. Toé aussi, tu y étais passée, Eva, te rappelles-tu? »

Bien sûr qu'Eva s'en souvenait. Revenir de Québec avec une couple de taloches derrière la tête pis le curé qui la sermonnait, elle l'oublierait jamais.

— Faque là, continua la matrone, j'ai mis les morceaux ensemble. Comme le curé se vante trop souvent des bonnes mœurs de ses ouailles, j'ai fini par comprendre: les bébés mort-nés, c'est lui qui était en arrière de ça. Pas de bébé illégitime, pas de fille-mère; pas de fille-mère, pas de tache sur la réputation de la paroisse.

La mère Audet reprit son souffle. Eva avait l'air figé comme la femme de Loth.

— J'cré ben que le curé est fou, poursuivit la bonne femme. Mais que veux-tu qu'on fasse, nous autres, si on lui demande pas son aide? Si on marche pas comme des moutons, comme y veut? Si on lui raconte pas toute? Ah! mon Dieu, je devrais pas dire ça du curé. C'est l'enfer qui m'attend! Les boutons de soutane, ça se digère pas, disait ma mère.

Eva resta raide un long moment, les lèvres pincées. Dans la cuisine, le silence était complet. On aurait pu entendre une mouche voler. Puis, lentement, la jeune femme empoigna son châle et passa la porte. L'air frais l'atteignit au visage comme une claque dans la face. Elle voulait comprendre. Le curé était jamais là aux accouchements. Donc, quelle était la part du docteur là-dedans ? Pourquoi il était de mèche dans les plans de l'homme d'Église ?

Eva resta debout sur la galerie, le regard perdu au-delà des champs détrempés. Désespoir, rage, révolte livraient bataille dans son esprit. Neuf poupons tués par le docteur et le curé, enterrés dans la honte et sans tombe quelque part dans la campagne de Saint-Cajetan. Des larmes amères glissèrent doucement le long de ses joues. Il fallait que ces hommes paient pour leurs actes. Et le gros prix.

Le bruit d'un attelage arrivant au loin la tira de ses pensées. C'était le vicaire. Il était à peine à la hauteur de la maison des Audet qu'il lâcha les rênes et monta l'escalier quatre à quatre.

— Eva, j'ai à vous parler, à vous pis à votre mère.

Et il s'engouffra dans la maison, suivi d'Eva. Madame Audet avait pas bougé de sa chaise. Sans attendre, Antime Percheron se lança :

— Je dois vous mettre en garde… Ah ! mon Dieu, pardonnez-moi.

Eva le fixa droit dans les yeux. Un regard de mère Courage qui part au combat et qui défie tout le monde de se mettre en travers de son chemin. Le jeune prêtre le soutint et déclara :

— C'est le docteur Patry qui a tué votre bébé, Eva.

La jeune femme sentit son cœur se serrer. Un flot de larmes monta dans ses yeux.

— Oui, je l'sais.

Percheron resta coi comme une poule qui regarde son premier œuf.

— Comment ça, vous le savez ?

— Et vous ? attaqua la mère Audet.

— Je l'ai entendu de la bouche même du curé, répondit le vicaire. J'ai surpris une conversation entre lui et le docteur. Mon Dieu, pardonnez-moi ! répéta-t-il.

— Au sujet d'Anita..., commença la vieille.

Le pauvre vicaire baissa les yeux.

— Ils veulent faire pareil avec elle. Le curé a demandé à Patry d'étouffer le bébé au sortir de la matrice.

Eva releva la tête.

— C'est comme ça qu'il a fait avec mon fils !

— Oui... c'est ce qu'ils ont dit. Eva, il faut leur pardonner !

Le vicaire avait un regard suppliant. Mais Eva explosa.

— Ne parlez pas de pardon devant moé ! Ces hommes-là ont détruit ma vie ! Ils auraient dû me tuer avec mon p'tit !

Elle éclata en sanglots. La mère Audet se rapprocha de sa fille. Contre toute attente, elle la prit dans ses bras. Et pour la première fois, elles pleurèrent ensemble ce fils qu'elles n'avaient pas connu, elles pleurèrent sur le sort injuste réservé aux femmes par des hommes. Et toutes les deux enlacées, elles s'unirent d'instinct pour que le curé et le docteur ne s'approchent pas d'Anita ni de son enfant.

— Les chiens ! Y auront pas ma deuxième fille, ça, j'peux le jurer !

Cléophas Audet avait ouvert la porte de la cave quelques minutes avant. Il était entré dans la maison par le soubassement et, de là, avait tout entendu. Son cœur était broyé. Il avait fait confiance à des hommes plus instruits que lui. Il avait cru en leurs belles paroles. Les monstres de l'enfer, les damnés... Ils avaient tué son petit-fils !

— Eva... dit-il d'une voix faible en s'avançant dans la cuisine. Oh ! mon Eva...

Elle regarda son père tout en séchant ses larmes.

— C'est pas le moment de parler de moi, son père. Ma sœur a besoin de toutes nous autres. Il faut protéger son bébé.

— Mais j'en veux pas, moi, de c't'enfant-là ! s'écria Anita en se serrant le ventre.

Le vicaire vit le désespoir de cette famille. La seule idée qui s'imposa dans son esprit était d'envoyer la future mère le plus loin possible de Saint-Cajetan, et vite. Mais pour aller où ? Elle menaçait d'avorter elle-même, il fallait préserver l'enfant à tout prix.

Cléophas se racla la gorge :

— Je connais un homme… Un homme de grand cœur. J'pense ben qu'y pourrait nous aider.

Chapitre 12

Tous les yeux étaient tournés vers le père Audet.

— Qui ça ? demanda enfin sa femme.

— Hormidas… Hormidas Leblanc. Il est de Saint-Charles, en bas du comté. Je l'ai souvent rencontré à des ventes. Il fait le commerce des animaux. J'y en ai même déjà vendu.

— Mais que peut-il faire pour nous aider, ce monsieur ? demanda le vicaire.

— Y m'a déjà dit qu'y aimerait ça, se marier, mais qu'y trouve pas. Il m'a dit ça un jour qu'y était venu ramasser des moutons au train, dit Cléophas.

— J'vois pas le lien avec nous autres, l'interrompit Eva.

Monsieur Audet la regarda.

— Tu pourrais le marier, toé, mon Eva. C'est sûr, y est plus âgé que toé un peu, mais y est honnête. S'il voulait, tu pourrais amener ta sœur quelques mois avec toé… le temps des couches.

Eva devint livide. Elle… se marier ? Elle était catherinette depuis un bout, son temps était passé. Qui voudrait d'une vieille fille ? Et surtout, sans la connaître ? Elle se ressaisit. Il fallait penser au bébé.

— Y est pas ivrogne, au moins ? demanda madame Audet.

— Non, pas pour cinq cennes. Disons qu'y est taillé à la hache. Y a une patch sur l'œil gauche. Quand y était p'tit, y paraît qu'y est allé courir sur le bord de la rivière par chez eux. Le voisin avait coupé des aulnes, mais y restait des chicots. Le p'tit est tombé la face dedans pis s'est crevé un œil. À cause de ça, y est resté un peu solitaire, y regarde pas souvent les gens en face. Y est un peu froid d'apparence, mais y est pas méchant. C'est un homme honnête qui a bonne réputation. Ils le connaissent, à la Station.

Sans trop penser ni peser le pour et le contre, n'écoutant que le cri qui montait dans son ventre, Eva dit :

— Écrivez-lui, papa. Expliquez-lui la situation, et s'il veut me voir... dites-lui de venir.

Le jeune vicaire comprenait que la situation était extrême. Néanmoins, il était dépassé par les événements. On ne se marie pas sans aimer ! Eva ne connaissait même pas cet homme.

— Vous n'y pensez pas, mademoiselle Audet ! Vous ne pouvez pas vous jeter dans les bras d'un inconnu pour sauver l'enfant de votre sœur !

— Vous comprenez pas, vous, que c'est la seule façon de pas tomber dans les griffes de ce curé fou ? répliqua-t-elle. S'il vous plaît, aidez-nous !

Le jeune vicaire vit une telle détermination dans les yeux de la jeune femme qu'il laissa tomber tous ses arguments.

— Très bien. Écrivons-lui ensemble, monsieur Audet, et ensuite on verra ce qu'il faut faire.

Il fallut deux semaines pour que la réponse du futur prétendant arrive. Cléophas était allé chercher la lettre d'Hormidas au bureau de poste de la Station. Pauvre vieux, il avait jamais autant regretté de ne pas savoir lire. Dès son retour à la maison, Eva lui prit l'enveloppe des mains.

Elle lut lentement pour que tout le monde comprenne bien les mots... et leur portée :

Bonjour Cléophas,

J'ai bien reçu ta lettre, et j'ai été bien surpris. Je comprends la situation, je t'adresse en premier mes prières pour passer l'épreuve. J'espère que la petite mère se porte bien. Pour ton autre fille, il faut qu'elle sache que je recherche une femme bien travaillante. Si elle s'attend à rien de plus de ma part que notre arrangement, je veux bien aller voir. Comme on dit par chez nous : faut voir avant d'acheter... J'arriverai samedi par le train.

Hormidas Leblanc

« Quelle froideur ! » songea Eva. Mais au moins, il faisait pas de fausses promesses. Il avait l'air de savoir ce qu'il voulait : « une femme bien travaillante ». Heureusement qu'elle n'avait pas peur de l'ouvrage, c'était au moins ça en sa faveur. Puis elle regarda attentivement la lettre. Le papier était de qualité. L'écriture était fine et élégante.

— Il a quel âge ? demanda-t-elle. Je suppose qu'il a cinquante ans passés ? Pis pas un poil su'a tête ?

— Euh... j'pense pas qu'y a plus que quarante ans... Y est ben gêné, à cause de sa patch. Mais il est honnête, répéta Cléophas.

« Honnête... il va en falloir, de l'honnêteté, pour compenser la menterie avec laquelle on va vivre toute notre vie... », pensa Eva.

À quoi s'attendait-elle d'un mari ? À pas grand-chose. Son père avait été un bon modèle, le mari de Léontine aussi, mais elle avait vu son lot de tordus et d'écœurants. De toute façon, elle rêvait pas d'un époux, mais d'un enfant. Elle voulait seulement être mère. Enfin, elle serait maman ! Avait-elle des scrupules à prendre l'enfant de sa sœur ? Elle y avait souvent réfléchi, mais non. Anita voulait rien savoir de son bébé. « Débarrasse-moi-z'en, Eva ! » Ces mots-là revenaient sans cesse dans sa bouche comme une supplique. C'était la bonne décision, en premier pour l'enfant qui aurait une mère dévouée. Eva comptait bien chérir cet être-là plus que sa propre vie.

Le samedi arriva très vite. Cléophas et Eva partirent chercher Hormidas à la Station. Sur le quai de la gare, elle étirait le cou pour voir si elle pourrait l'identifier parmi les autres passagers. Un homme avec une patch dans la face, ça devait être facile à repérer. Elle l'imaginait petit, presque chauve avec un immense nez. Elle cherchait parmi les types les plus ordinaires sur le quai. Elle aurait dû mieux regarder: Hormidas était pas pantoute l'homme auquel elle s'attendait.

Il arriva en linge propre, ce qui le distinguait des autres. Il mesurait certainement plus de six pieds, ce qui le faisait ressortir encore plus de la foule. Sous son chapeau de feutre noir, ses cheveux étaient légèrement grisonnants. Le bord de son couvre-chef était rabattu sur la patch de son œil gauche, dévoilant son œil droit, d'un beau bleu. Il avait un nez aquilin et une bouche bien dessinée. Son allure était celle d'un homme qui savait où il allait, confiant, tranquille. Il paraissait bien de sa personne. Il en fallait pas plus pour rassurer Eva.

— Bonjour, Cléophas! lança Hormidas.

Monsieur Audet tendit la main au nouveau venu.

— As-tu fait bon voyage? s'enquit-il.

— Pas mal. J'ai fait un arrêt à la station entre Saint-Henri et Lévis. Y avait du monde en masse. Y a ben des commerçants, y a pas à dire. C'est gros, ce coin-là. J'ai un peu dormi. Mais y avait un bébé qui pleurait, c'était pas reposant.

Eva se raidit. Elle sauta à la conclusion qu'il n'aimait pas les bébés, ça partait ben mal. Et en plus, il l'avait même pas regardée. Même avec un seul œil, il aurait pu se forcer! «Bah, c'est peut-être mieux de même. À quoi je pouvais m'attendre d'un vieux garçon, hein?» pensa-t-elle.

Cléophas serra la main de son futur gendre.

— Viens, Hormidas, dit-il, on va aller voir le vicaire, y nous attend dans la gare pour pas faire trop jaser.

Hormidas suivit Cléophas et passa devant Eva sans lui adresser le moindre petit salut. Elle n'en croyait pas ses yeux. Il n'avait aucun sens des convenances, cet homme-là… « Y'est taillé à la hache », lui avait dit son père pour vanter sa stature, mais Eva jugea plutôt qu'il était mal équarri. Elle aurait été une pierre le long de la route qu'il s'y serait pas plus intéressé. Ça intriguait la future épousée, mais ça la rassurait en même temps : c'était pas un homme à femmes, on voyait ben. Y devait pas être porté sur… la chose, là. C'était ben tant mieux.

Quand le jeune prêtre les vit arriver, il fit une prière silencieuse pour que tout aille bien. Il avait rien dit au curé Tardif. Il avait l'impression d'agir comme un Judas.

— Bonjour, monsieur le vicaire. C'est moé, Hormidas Leblanc. Je viens de Saint-Charles.

— Oui, je sais. C'est moi qui vous ai écrit la lettre au nom de monsieur Audet. Venez, on va aller chez eux, justement pour parler de notre affaire.

Les trois acolytes se dirigèrent vers les voitures. Eva suivait derrière. Est-ce que son futur fiancé s'assoirait près d'elle ? La route serait pas commode… Mais non, il choisit de monter dans le buggy du vicaire. Eva s'assit avec son père dans leur carriole. Le convoi partit en flèche vers le fond du rang de la Fourche.

Cléophas remarqua la mine déconfite de sa fille. Elle avait les yeux d'une vache qui a perdu son veau.

— Eva, juge-le pas à l'apparence, lui dit-il. C'est un timide.

— Oh ! faites-vous-en pas. La patch me dérange pas…

— Y est habitué de traiter avec les moutons, pas avec les femmes, dit Cléophas, comme pour excuser son homme.

— Ben là, j'me mettrai pas d'la laine su'l dos pour qu'y me r'marque pis qu'y m'dise bonjour !

— Patience, mon Eva. Pense à ta sœur pis à son p'tit.

Eva resserra son châle sur ses épaules. Elle avait froid, mais elle devrait s'y habituer, avec un homme comme Hormidas Leblanc. Quant au p'tit, elle faisait juste ça, y penser.

Quand tout le monde fut réuni à la maison paternelle en compagnie d'Anita et de la mère Audet, le vicaire mit cartes sur table.

— J'y ai bien réfléchi et voici mon plan. L'Église nous oblige à publier les bans dans deux paroisses et, bien sûr, on ne le fera pas ici. Si tout le monde est d'accord, on pourrait les publier à Saint-Raphaël, la paroisse voisine, demain dimanche, pis à Saint-Vallier. C'est là qu'on célébrerait le mariage dans quinze jours. Je me suis déjà arrangé avec le curé de là-bas. Il est très discret, et je lui ai dit que c'était pressant. Il doit penser que vous êtes enceinte, Eva.

Eva regarda Hormidas et rougit violemment. Juste à penser que cet homme coucherait avec elle, elle en eut des frissons dans le dos. Hormidas, lui, resta de marbre.

— Pour les trois personnes en cause, continua le jeune prêtre, il faudrait trouver une autre paroisse où personne ne vous connaît et où vous vivrez le temps de la grossesse. Ou bien rester à Saint-Vallier. Anita serait seulement la sœur venue aider la nouvelle mariée à emménager.

Monsieur Audet comprenait rien.

— Mais les gens vont bien voir qu'elle attend un p'tit?

Hormidas prit la parole.

— Va falloir jouer serré. Les deux femmes devront jamais parler à personne, ni voir personne, ni même sortir de la maison. Personne doit savoir laquelle des deux est madame Leblanc pis qui est enceinte. Comme ça, on va duper le docteur de la place.

En entendant « madame Leblanc », Eva paniqua un peu. C'était d'elle qu'on parlait. C'était elle, la future mariée. Elle regarda Anita qui, assise près d'elle, semblait de glace.

— N'importe quoi pour que je m'en défasse ! dit-elle.

— Alors, t'es d'accord ? lui demanda Eva.

Madame Audet leva le ton.

— Pour sûr, elle a pas le choix, trancha-t-elle.

Puis elle se tourna vers le jeune vicaire.

— Allez-vous être bon pour avoir le papier pour les bans demain ? Comment vous allez expliquer ça au curé ? Il m'a demandé d'aller le voir au village, depuis qu'il sait pour Anita... mais chus pas allée encore.

Le vicaire voulut se faire rassurant. Il prit la main de la vieille et la flatta doucement.

— Ne vous en faites pas. C'est le curé de Saint-Vallier qui va s'en occuper. Comme ça, le curé Tardif ne pourra pas s'y opposer.

Hormidas se frappa dans les mains.

— Ben comme ça, on est tous d'accord ! dit-il. Reste plus qu'à trouver une maison où s'établir. J'ai un ou deux prospects, ça va se régler cette semaine.

Il se leva et, toujours sans regarder Eva ni sa sœur, il serra la main du vicaire et celle de Cléophas. Puis il se dirigea vers la porte. On aurait dit qu'il venait tout simplement de faire une transaction de bétail. Pas le moindre sentiment ne pouvait se lire sur son visage.

— À demain, Cléophas. Vicaire, je vous attends dehors, je vais remonter avec vous au village.

Sans se retourner, il ouvrit la porte et sortit. Eva fut une fois de plus troublée par le comportement d'Hormidas, mais elle ne s'y attarda pas. Ses sentiments, pour l'instant, n'avaient pas d'importance.

Le lendemain, après la messe, à l'hôtel où logeait Hormidas, on signa les papiers pour le futur mariage d'Eva Audet, fille majeure de Cléophas Audet, avec Hormidas Leblanc, fils de feu Alfred Leblanc.

Après la signature, le principal intéressé s'en alla prendre son train. Hormidas avait demandé à l'hôtelier de venir le reconduire à la Station. Il irait un peu commercer, chemin faisant, en bas du comté avant de rentrer chez lui à Saint-Charles. Il y vivait sur une terre avec son frère cadet. Son absence pour quelques mois devait être organisée. Il savait très bien que son frère poserait pas trop de questions sur le pourquoi du comment.

Eva le regarda quitter le village en carriole. « Une vraie comète ! Y'est pas resté longtemps. Y'aurait pu, quand même... même si on est loin d'avoir besoin d'un chaperon ! Faut croire qu'on apprendra à se connaître une autre fois. » Elle n'était pas femme à s'arrêter pour écouter ses sentiments, mais là, Hormidas la battait à plates coutures. « À quoi bon ? se dit-elle encore. J'peux pus reculer, de toute façon. »

Sa vie venait de se jouer sur une simple signature au bas d'une feuille de papier.

Chapitre 13

Le jour se levait à peine, une petite lueur rosée montait au-dessus des montagnes. À Saint-Vallier, sur le bord du fleuve, souvent la température était plus crue que dans les terres. C'était un matin frisquet pour un jour de mariage.

Le père Audet et ses deux filles étaient arrivés la veille. Le trajet entre les deux paroisses s'était quand même pas pire passé. Dans le buggy, on n'avait pas trop parlé. Qu'est ce qu'on aurait pu dire, hein ? Anita faisait juste regarder au loin. On aurait dit qu'elle était pas là, qu'elle avait pas d'émotions. Avant le départ, la mère Audet avait mis dans son maigre trousseau les quelques affaires de bébé qu'elle avait gardées après Paula. Pour les pauvres, la mode passe pas ; on peut remettre le même linge d'une génération à une autre. Eva reconnut quelques draps et les vêtements qu'elle avait elle-même cousus et tricotés pour son propre enfant. Sa mère lui avait dit à l'époque qu'elle avait tout donné... C'était pas vrai. Eva en fut émue.

Cléophas avait conduit le buggy jusqu'à l'auberge, où le trio pourrait loger et où le cheval serait soigné. Son trotteur avait ben travaillé dans les chemins de printemps, cabossés et pleins de boue. Le père et ses filles avaient pris un bon repas en arrivant et étaient allés se coucher sans vraiment jaser. L'atmosphère était tendue et Cléophas voulait pas en remettre. En dehors de ça, l'auberge était douillette. Une bâtisse bien tenue et très achalandée où personne ne les connaissait. Ils avaient pris deux chambres.

Après le déjeuner dans la salle à manger, pris avec leur père dans un silence presque total, Eva et Anita étaient remontées dans leur chambre pour se préparer. Le linge d'Eva était dans une valise en carton, une chose toute croche qui avait dû être donnée par charité. La poignée ayant sacré le camp depuis un bout, elle ne tenait plus que par une corde. Anita aussi avait une valise ; elle était plus neuve, la sienne, peut-être bien pour l'encourager. La vie entière des deux filles se trouvait dans ces valises ; c'était triste à mourir.

Eva avait du mal à réaliser qu'elle allait, dans quelques heures, devenir madame Hormidas Leblanc. Elle se brossa lentement les cheveux, les remonta en un chignon serré et mit une robe que sa mère lui avait prêtée. C'était pas une robe de mariée, mais elle ferait l'affaire. Elle était violette, avec une rangée de boutons partant de la mi-cuisse jusqu'à terre. Il y avait assez de plis à la taille pour ne pas trop attirer l'attention sur la poitrine. Une fleur était piquée au corsage. Pas de voile, rien de frivole pour compléter. La tenue, un peu terne, aurait pu être portée pour n'importe quelle occasion, sauf une noce. Eva soupira, puis jeta un regard sur ses bottines en cuir usé. L'ourlet les cacherait, pas un chat les verrait. C'était ben correct.

Anita, pour sa part, portait pas de tenue spéciale. À quoi bon, de toute façon. Il y aurait que six personnes à la cérémonie, nul devant qui briller. Le marié, la mariée, son père, le curé de la paroisse, le bedeau qui servirait de témoin à Hormidas et elle. C'est pas son futur beau-frère qui remarquerait qu'elle était habillée en ordinaire : avec rien qu'un œil… il devait pas ben voir, l'éborgné.

— Les filles, dit le père en cognant à la porte, êtes-vous prêtes ? C'est l'heure.

Eva ouvrit. Cléophas la regarda avec affection. Il savait qu'Hormidas était un homme bien, mais il savait aussi que le marié n'avait rien fait pour être apprécié d'elle. Sauf accepter de la prendre avec l'enfant pour sauver une situation délicate. L'amour avait rien à voir là-dedans, mais quand même, il aurait pu la remarquer un peu, au moins.

— T'es-tu certaine, Eva, que tu veux faire ça? lui demanda son père.

— Y est un peu tard pour changer d'idée, vous trouvez pas? Y a eu assez de drame dans' famille.

Sans plus attendre, Eva sortit de la chambre, suivie d'Anita, indifférente à tout ce qui se passait.

Le temps était gris, c'était la couleur qui convenait à l'événement. Eva avait pas l'air triste... seulement résignée.

Arrivée à l'église, elle alla droit à la sacristie où l'attendait son futur époux. Une boule lui monta de l'estomac. Mais bon, la vie à venir pouvait pas être pire que sa vie d'à présent.

Quand elle entra, elle s'étonna de voir son futur de dos. Il se retourna même pas. Il portait un manteau de laine brun foncé. Il s'était coiffé pour l'occasion. Ses cheveux légèrement frisés cachaient en partie son bandeau. Eva se demanda sur l'entrefaite s'il y avait une orbite vide derrière la patch. Elle eut un mouvement de dégoût.

Elle s'avança néanmoins, comme pour lui laisser le temps de la regarder. Un simple regard... pour l'encourager à se donner. Mais non, il resta immobile, de dos, même s'il l'avait entendue. Le prêtre de Saint-Vallier arriva; la bedaine par en avant, il avait l'air d'un cochon noir. Le bedeau, sur ses talons, était pas mieux avec ses cheveux tout croches en dessous de son ti-casse et des lunettes sur le bout du nez. Il avait l'air d'une taupe. C'était la noce à la ferme.

Le curé examina attentivement les futurs mariés. Eva savait à quoi il pensait: qu'elle avait eu la patte légère avec un pauvre type à moitié aveugle qui avait pas eu grand choix de fille dans sa vie. Elle le dévisagea. Le prêtre, intimidé, se dérhuma, sortit son livre des cérémonies et commença.

— Nous passerons les lectures conventionnelles, dit-il sur un ton de reproche. J'ai cru comprendre que c'était une urgence!

Hormidas le regarda avec insistance. Il était qui pour les juger? Il ne les connaissait même pas. C'était son mariage ; arrangé peut-être, mais il voulait bien faire les choses. Cléophas, en revanche, voulait accélérer l'affaire. C'était assez pénible comme ça pour Eva, on se serait cru à un enterrement. Ne manquait plus qu'un cercueil, un moribond et des lampions.

— Justement, ce serait apprécié, dit le vieil homme.

Le curé commença.

— Devant Dieu et pour le reste de votre vie, je vous le demande. Joseph Hormidas Alphonse Leblanc, acceptez-vous de prendre comme femme et légitime épouse Marie Eva Géraldine Audet ici présente? Jurez-vous de l'aimer et de la protéger jusqu'à la fin de vos jours?

— Oui, je le veux, dit Hormidas, d'une voix claire et assurée.

— Et vous, Marie Eva Géraldine Audet, acceptez-vous de prendre Joseph Hormidas Alphonse Leblanc pour époux, de le servir, de lui obéir et cela jusqu'à ce que la mort vous sépare?

Eva hésita. Elle osait pas se tourner vers Hormidas. Elle se contenta de regarder sa sœur. Elle lui sourit comme pour lui dire qu'elle s'occuperait bien de son petit. Et surtout qu'elle lui en voudrait jamais si ce *oui* gâchait toute sa vie. Anita soutint son regard sans aucune émotion. Une larme coula sur la joue d'Eva et, fermant les yeux, elle dit dans un élan du cœur :

— Oui, je le veux.

Le prêtre les aspergea d'eau bénite.

— Je vous déclare mari et femme. Ce que Dieu a uni, que l'homme ne le sépare jamais. Vous pouvez embrasser la mariée.

Eva figea net. Elle n'avait pas pensé à ce détail. Hormidas, doucement, se tourna vers elle. Il la regardait maintenant droit dans les yeux, de son œil couleur de ciel. Eva frémit. Est-ce qu'il allait enfin lui montrer un peu d'attention? Hormidas essuya la larme qui s'attardait sur sa joue et, avec une douceur qui venait de je sais ben pas où, il embrassa Eva sur le front. Elle ferma les yeux. Elle sentit la chaleur de sa respiration. Pour l'instant, ça lui suffisait. Oui, elle pourrait bien l'aimer… ou du moins essayer. C'était un homme que son infirmité avait poussé à rester vieux garçon, ça oui. Mais est-ce qu'il pourrait être un bon père, un bon mari?

L'avenir était incertain, mais au moins, elle en avait un.

À quelques dizaines de kilomètres de là, au presbytère de Saint-Cajetan-d'Armagh, l'atmosphère était à l'orage. Le curé Tardif écumait de rage. On aurait dit un diable dans l'eau bénite.

— Monsieur le vicaire, je viens de trouver une copie des bans pour un mariage en la paroisse de Saint-Vallier. Il est signé de votre main. La date a été effacée… Une erreur sans doute de votre part. Du moins, j'aime le croire!

— Oui, sans doute, je vais remédier à cela, dit le jeune prêtre.

Le vicaire voulut sortir de la pièce, mais le curé Tardif avait pas fini. Il se plaça dans le cadre de porte et regarda son opposé dans les yeux.

— Est-ce que les noms des époux sont justes? Eva Audet et Hormidas Leblanc… D'où est-il, celui-là, et pourquoi le curé de Saint-Vallier se mêle de mes affaires?

— Il est de Saint-Charles, je crois…

— Vous croyez! Me prenez-vous pour un simple d'esprit? Pourquoi avez-vous endossé cette union? J'ai même pas eu vent des fréquentations entre Eva et ce soi-disant fiancé!

Le jeune vicaire regarda le curé et soutint son regard. Il devait lui faire face.

— Eva voulait se marier vite. Cléophas, son père, connaît bien monsieur Leblanc.

— Ce n'est pas avec son père qu'elle se marie! cria le curé Tardif.

Il avait la figure rouge vif. Il sentait qu'une proie lui échappait.

— Et c'est pour quand, ce joli mariage ? Je ne suis pas dupe. C'est pour cacher la grossesse de sa sœur. Péché... péché de chair ! hurla-t-il.

L'autre se redressa.

— Ils doivent être déjà mariés, à l'heure qu'il est...

— QUOI !? Et où est Anita ?

— Avec eux, à Saint-Vallier... Ils vont y rester quelques mois, le temps de se connaître...

— Ou de mettre son bâtard au monde ! tonna le prêtre.

Le curé Tardif prit son jeune vicaire au collet. Il avait les yeux sortis des orbites.

— Elle va revenir icitte avec sa bedaine, je vais m'en occuper personnellement ! Et vous, je vais vous chasser de ma paroisse !!

Antime Percheron le regarda, le regard rempli de mépris. Ses jambes tremblaient, mais il refusa de céder.

— Vous n'êtes pas un prêtre... vous êtes un MONSTRE.

Le curé écumait.

— Répète-moé donc ça... ?

— Votre paroisse ! siffla le vicaire. Laissez-moi rire ! J'ai entendu votre conversation avec le docteur Patry, l'autre jour. Qu'est-ce que vous faites ? C'est le diable qui vous aveugle !

Tardif le repoussa violemment.

— Le diable... y est dans les femmes qui se laissent engrosser ! C'est toutes des putains ! Pis leurs bâtards, des fils de l'enfer ! Vous allez partir de ma paroisse, Percheron. Icitte, à Saint-Cajetan-d'Armagh, on a juste des bonnes mœurs, vous saurez !

Antime Percheron en revenait pas. Cet aliéné était prêt à tuer plutôt que de perdre la face !

— Vous êtes complètement fou, pauvre vous. J'ai écrit à l'évêque sur votre cas !

— Jamais il ne vous croira ! hurla Tardif. Vous êtes juste un p'tit morveux sorti du séminaire qui a même pas encore le nombril sec !

— J'y ai joint des lettres de femmes. Oui, madame Audet m'a donné des noms de jeunes filles qui ont subi les traitements de votre cher ami Patry. Et ça, sur votre recommandation !

— Maudit innocent qui se croit tout permis ! Vous voyez donc pas que je dois sauver leur âme ? Vous n'êtes qu'une mauviette qui se laisse attendrir par ces folles. Mais j'y veillerai, et croyez-moi, Anita Audet va revenir icitte ! J'en fais la promesse à Dieu !

Le jeune vicaire tourna les talons et s'enfuit directement à l'hôtel en face de l'église. Il y attendrait le dénouement de l'histoire. Vivement une réponse de l'évêque… Il fallait qu'il le croie. Il fallait qu'il intervienne.

Deux jours plus tard, une missive arriva au presbytère. Un employé du bureau de poste, voyant le sceau de l'évêché de Québec sur l'enveloppe, vint en personne remettre la lettre au curé.

Tardif tenait la lettre comme s'il s'agissait d'un tison ardent. Un frisson lui parcourut la nuque. Il l'ouvrit très formellement, laissant le coupe-papier pénétrer lentement dans l'enveloppe. Il en retira doucement le feuillet, le déplia et le posa sur son bureau pour le lire.

Nous accusons réception d'une grave plainte à votre égard. Plusieurs de vos paroissiennes ont témoigné contre vous. Monsieur le vicaire Percheron nous a transmis, et cela, sous serment, des accusations d'homicides infantiles. Plaise à Dieu que tout le monde se trompe. Vous aviez, Monsieur, un dossier vierge de toute faute.

J'arriverai demain à votre presbytère. J'entendrai les plaignantes personnellement. Faites qu'à la suite de vos explications, je n'aie pas à sévir, car vous auriez à répondre devant la justice de ces accusations.

Ces mots tombèrent comme un couperet. C'était fini... Tous le condamnaient. Mais ils avaient tous tort. Ils n'avaient rien compris... pas même son évêque. C'était pour préserver ses ouailles ! Du moins, c'est ce qu'il se disait, lors des rares moments où sa conscience voulait prendre le dessus. Il ne pouvait faire autrement, le péché de chair devait être tué dans sa racine. Il regarda par la fenêtre. La nuit lui parut plus noire qu'à l'accoutumée.

Il mit son paletot, plaça son chapeau à la perfection et sortit. L'air était frais. Il se dirigea vers la gare, comme pour devancer son évêque. Au loin, on entendait l'express de vingt et une heures qui se pointait le nez. Tardif enjamba les rails. Son chapelet à la main, il regardait droit devant. Le phare du train luisait au loin.

— Je marcherai vers Ta lumière, Seigneur, confiant en Ta miséricorde, chanta-t-il.

Le conducteur du train ne le vit même pas. En une fraction de seconde, Fidèle Tardif cessa d'exister. Il avait trop souffert et surtout... trop peu aimé.

Le visage de sa douce Maria fut sa dernière pensée.

Chapitre 14

Avant le mariage, Hormidas avait eu le temps de voir aux détails de leur installation. Il avait loué une maison à Saint-Vallier et, durant son absence, sa ferme de Saint-Charles serait gérée par son frère.

— J'ai une affaire importante à régler. Ce sera long. Plusieurs mois, avait dit Hormidas à Jean.

L'autre haussa à peine un sourcil.

— C'est toé qui sais.

Puis, après un moment de silence :

— Si t'es parti longtemps d'même, j'vas être obligé de prendre un homme engagé pour m'aider su'a farme, j'peux pas toute faire avec la patte que j'ai. Le voisin va ben vouloir me passer son plus vieux. Y a des garçons en masse, l'père Paquet. C'est-tu correct avec toé, ça ?

— Ben correct. On partagera les frais en deux quand j'reviendrai.

Et à ceux qui poseraient des questions, précisa Hormidas, Jean Leblanc devait en dire le moins possible. C'était connu à Saint-Charles que les frères Leblanc étaient pas mal solitaires. Et pas plus jaseux l'un que l'autre. Généralement, on leur sacrait patience à ces deux gars, l'un avec son œil crevé et l'autre avec sa polio qui lui avait rendu la jambe droite croche comme une queue de cochon.

Après les épousailles, Hormidas et Eva, le père Audet et Anita partirent à la résidence temporaire des époux, à l'entrée du Premier Rang de Saint-Vallier ; Hormidas voulait pas être trop loin du village. Ce serait plus facile pour lui de voyager quand on aurait besoin de quelque chose. Les femmes avaient pris soin de se couvrir la tête pour cacher leurs traits. Eva se doutait bien que leur petit groupe attirerait l'attention des gens de la place, toujours curieux des étrangers. Une discrétion absolue était obligatoire.

En pénétrant dans la maison, Eva remarqua tout de suite les lourdes tentures qui cachaient les fenêtres et les coupaient du monde. Le souvenir de ces mois passés dans la cave, dans l'isolement presque complet, lui remonta dans la gorge. Mais la jeune femme admit quand même que mettre des rideaux, c'était plus prudent. C'est Hormidas qui avait pensé à ça : de même, les deux sœurs pourraient se promener dans la maison sans être surprises par un voisin. Personne les verrait.

— Dans le jour, je vais aller travailler chez le vieux forgeron, au village, annonça Hormidas à son beau-père. Y m'a l'air d'être un homme tranquille, pas trop parleux ; on devrait bien s'entendre. Pis surtout, ça lui dérange pas d'avoir un borgne pour employé.

— Voyons, mon homme, répliqua le père Audet. Parle pas d'même… Moé, j'la voé presque pus, ta patch.

— Ben est là pareil. Faut s'en accommoder, c'est toute.

Eva se le tint pour dit.

Cléophas regarda son gendre. C'était un gars simple, mais prévoyant. Il avait bien fait de lui proposer Eva. Il était persuadé qu'il s'occuperait bien de ses filles et, si Dieu le voulait, de son petit-fils.

— Vous allez rester ici une année complète ? demanda le vieux père.

— Non, juste le temps de la mise bas… Après, on va retourner à Saint-Charles régler quelques affaires. J'ai l'intention de vendre ma part de terre à mon frère. J'vais voir si y peut s'arranger sans moé. On peut pas vivre chez nous ; même si j'me mêle pas trop au village, me voir revenir marié pis père, ça va trop faire jaser. J'aime pas ça, attirer l'attention su' moé. J'cré ben qu'après toute ça, on va aller s'établir à Saint-Lazare, y reste des bonnes terres pas trop chères par là.

Eva resta l'air bête. Comment? Ils ne s'établiraient pas à Saint-Cajetan ? Tout le temps des préparatifs du mariage, elle s'était pas arrêtée une minute à se demander où ils vivraient, elle et son époux. Elle avait pensé uniquement au bébé. Loin de sa famille, de ses sœurs, de Léontine, comment allait-elle pouvoir supporter ce mariage arrangé ?... Mais qu'importe. Le bébé lui en donnerait le courage.

Il fut temps pour Cléophas de partir. Il aurait voulu rester plus longtemps. Il savait bien qu'il reverrait pas ses filles de sitôt. Mais les travaux de la ferme l'appelaient. Le cœur lourd, il dit :

— J'vais y aller... Vot' mère doit avoir hâte d'avoir des nouvelles.

— Elle se fout pas mal de nous autres, laissa tomber Anita, amère. Moé partie, toute paraît ben !

Cléophas s'avança vers ses filles. Il voulut prendre Anita dans ses bras, mais celle-ci recula. Elle se sentait comme en prison. Où étaient passés les beaux jours avec son Victor? Ben envolées, les belles promesses. Comment avait-elle pu être aussi niaiseuse ?... Eva, au moins, elle avait été violée. Elle avait pas eu à surmonter une peine d'amour en plus.

— Sois sage, ma Nita... Ça va ben aller, ta sœur est là, dit Cléophas.

— Est-ce que j'ai le choix? Chus prise avec ça! dit-elle avec dégoût en montrant son ventre.

Puis elle éclata en sanglots. Elle aurait voulu s'accrocher au manteau de son père, le supplier de la ramener à la maison. Mais à quoi bon! Sa mère l'aurait sûrement pas reprise. Comment pourrait-elle vivre tous ces mois cachée dans une maison close, et avec de jeunes mariés ? Ça serait pas vivable.

Cléophas regarda Eva. Sa fille se tenait droite. Elle avait l'air toujours digne. Elle, elle saurait gérer cette situation. L'enfant aurait des parents et tout irait ben. Du moins, il l'espérait.

— Viens serrer ton vieux père, mon Eva, dit-il.

Les yeux humides, il tint sa fille contre lui comme pour lui donner tout l'amour qui pouvait sortir de son vieux cœur de père. Hormidas avait l'air si distant. Peut-être que c'était vraiment juste d'une paire de bras qu'il avait besoin.

— Ça va aller, p'pa, dit Eva. Vous savez ben, je m'habitue à toute!

Il voulait la croire. Mais il était désemparé. Il aurait aimé lui offrir autre chose que ce destin de misère.

Cléophas partit sans regarder en arrière. Il ne le pouvait pas.

Quand la porte se referma, un lourd silence envahit la cuisine. Hormidas le sentit bien et, comme pour rassurer ses protégées, il leur dit:

— Bon, ben, j'vas vous faire visiter la maison... J'espère que vous allez l'aimer. C'est quand même pas si pire.

Eva se sentait gênée. Elle savait pas quoi faire. C'étaient pas les placards à chaudrons et les dimensions du salon qui la préoccupaient, mais toute sa nouvelle situation: l'éloignement, la froideur d'Anita... et surtout, la proximité qu'elle aurait à vivre avec Hormidas. Faudrait ben qu'elle y passe, ce soir même, sûrement. Elle savait comment ça marchait, mais connaître les choses de la vie, c'était une chose, et les pratiquer, c'en était une autre. Elle savait pas faire l'amour ni comment donner des caresses. Elle espérait que son mari serait doux et qu'il saurait la guider. Et surtout, qu'il serait pas trop exigeant et pas trop moqueur de ses gaucheries.

Hormidas continuait, quant à lui, la visite des lieux.

— Icitte, c'est vot' chambre. J'ai mis deux lits, ça va être plus confortable pour Anita quand elle va grossir pour la peine. Pis vous allez pouvoir jaser en masse. La fenêtre donne sur le champ; vous pourrez l'ouvrir quand vous voudrez, personne peut vous voir. Quand le temps viendra, j'achèterai un ber.

Eva regarda son mari d'un œil intrigué. Comment ça, deux lits ? Ils dormiraient donc pas ensemble ! Décidément, elle allait de surprise en surprise. Elle était soulagée, mais elle se questionnait quand même… Un homme, c'est un homme, sa mère le lui avait assez dit. Il voulait quoi, son mari, au juste ? Un bébé, sûrement pas. De l'amour ? Ça avait pas l'air à ça. Une aide pour faire le train… Ah oui, sûrement. Doux Jésus, quelle misère.

Hormidas sortit de la chambre et s'en retourna dans la cuisine. La visite était finie. Pas un regard à Eva, pas un sourire. Il alla faire un feu pour réchauffer le logis. Le cru s'était installé dans la maison. Puis il alluma sa pipe et sortit. Les femmes devaient s'habituer à se retrouver souvent toutes seules. Elles iraient jamais dehors le jour, le temps de la grossesse.

Eva et Anita déballèrent leurs effets dans leur chambre. Anita semblait heureuse du désintérêt d'Hormidas pour sa sœur. Pourquoi elle, la vieille fille, filerait le parfait bonheur, quand elle-même, l'amoureuse, était si malheureuse ?

— Y'a pas l'air chaud d'la pince, ton mari, dit Anita avec un air moqueur. Au moins, moi, j'ai connu la passion. Le feu, pour ainsi dire.

Anita voulait se montrer supérieure à sa sœur.

— Et on voit où ça t'a conduite ! répliqua Eva, qui regretta aussitôt son ton mordant.

— Il voulait une femme pour travailler su' sa terre, pas une femme à aimer. Pauvre folle… Tu viens de t'faire avoir ! Moé, je m'en fous. Aussitôt que le petit me sort du ventre, j'sacre mon camp d'icitte.

Eva s'assit sur son lit. Anita n'était pas gentille avec elle. Elle aurait aimé avoir un rapport plus doux avec sa sœur. Mais tant pis, ça aussi, elle s'en accommoderait.

Elle finit de remplir ses tiroirs et descendit en bas, pour commencer à prendre possession de « sa » maison.

Au bout de quelques semaines, voilà-tu pas qu'on vit arriver le vicaire Antime Percheron chez les Leblanc.

— Monsieur le vicaire ! Quelle belle surprise ! s'exclama Eva quand elle vit le jeune prêtre entrer derrière Hormidas. V'nez vous asseoir. Dites-moé comment y vont à Armagh !

— Ah ! Laissez-moi arriver, madame Eva ! J'ai tellement de choses à vous raconter. Premièrement, vos parents vont bien, et vous manquez à vos sœurs. Ensuite, votre père fait dire que votre chien ne le lâche pas d'une semelle. Et voici : votre mère vous envoie de la laine pour les tricots… Vous n'avez pas les moutons de votre mari pour vous fournir, n'est-ce pas ?

Hormidas apprécia la qualité du fil. La mère Audet s'y connaissait. Anita, boudeuse comme à l'accoutumée, mais quand même ravie d'avoir quelqu'un de nouveau avec qui jaser, s'approcha de la cuisine.

— Comment ça s'est passé par cheu nous après qu'on soèye parties ? Ça a dû jaser ben fort su' nous autres, hein ?

— Pas vraiment. Ce n'est pas que vous n'êtes pas importantes, mais avec ce qui s'est passé… Vous n'en avez pas entendu parler, ici ? Non ?… Alors voilà : le curé Tardif… euh… n'est plus à Saint-Cajetan-d'Armagh.

Eva écarquilla les yeux sous le coup de la surprise.

— Ah bon ? Comment ça, donc ? Y est parti où ?

Le vicaire se tortilla de malaise sur sa chaise.

— En fait… nulle part. Il est mort.

— Quoi ? s'exclama Eva. Le diable est venu l'chercher, l'écœurant ?

— Ah, ne parlez pas ainsi, madame Eva ! J'en ai des frissons dans le dos. Permettez-moi de raconter. À la suite de votre histoire, j'ai écrit à l'évêque pour lui révéler ce qui se passait à Saint-Cajetan. Quand le curé a appris que l'évêque s'en venait enquêter sur lui, il est parti vers la Station et… mon Dieu, ayez pitié de lui !… Il semble qu'il se soit jeté devant le train !

Un silence s'abattit dans la cuisine.

— Vous êtes sûr que c'était lui ? Y s'est pas juste poussé ? finit par demander Anita.

— Eh bien, il ne restait pas grand-chose de lui sur les rails... mais oui, c'était lui, je peux le confirmer. Mais c'est secret : l'évêché fait depuis courir le bruit que le curé Tardif a été transféré dans une paroisse de l'Ouest. Vous pensez bien qu'il faut taire à tout prix le suicide d'un homme d'Église... J'ai vu aux détails pour rendre l'histoire crédible, mais ce secret me pèse, si vous saviez...

Anita n'écoutait plus. Elle assimilait tranquillement ceci : plus de curé Tardif, plus de menace au-dessus de sa tête. Eva brisa le silence :

— Le lâche. Y a préféré se tuer au lieu de faire face à la justice. J'ai pas de pitié, avec toute c'qu'y nous a faite. Pas une miette. Rien. Y peut ben brûler en enfer pour l'éternité, se réveiller d'entre les morts, pis brûler encore !

Hormidas regarda sa femme sans rien dire. Elle en avait bavé, son Eva, elle pouvait ben se vider le cœur.

— Pis le docteur ? reprit la jeune femme. Y a-tu faite pareil ? Belle engeance de pourriture, lui avec !

Le vicaire fut saisi par le ton haineux d'Eva. Mais pas un seul instant il se serait permis de la juger.

— Il s'est sauvé. Il a été vu dans le train pour Québec le lendemain, mais personne ne sait où il est. Pour l'instant, l'évêché ne remue rien. La mort violente d'un de ses curés, c'est bien assez à gérer.

Après le drame de la Station, le jeune prêtre avait dû tenir le rôle de curé de la paroisse en attendant la relève. Des semaines épuisantes pour lui, qui manquait d'expérience en tout.

— Un nouveau curé a fini par être nommé cette semaine. Un certain Dugal. Oh, un bon gars, j'ai eu amplement la chance de discuter avec lui. N'ayez pas peur, celui-là a le cœur à la bonne place.

Le vicaire se leva et remit son chapeau. Tout ce qu'il voulait maintenant, c'était repartir à Québec pour se reposer un peu. Y a pas à dire, commencer ses ministères de même, c'était raide en ti-pépère.

— Merci, monsieur le vicaire, lui dit Eva en se levant à son tour. On vous en doit une grosse, là. Vous nous avez ben aidés pour le mariage, aussi. J'ai pas eu la chance de vous en remercier comme y faut.

Elle s'approcha de lui et l'embrassa sur la joue, comme elle aurait embrassé un grand frère. Il y passa sa main. Un peu de tendresse lui faisait le plus grand bien.

— Bonne chance pour le reste. Je prierai pour que tout se passe bien.

— Ben oui, ça va être ben plus facile avec des prières, hein ! lui lança Anita.

Hormidas la dévisagea. C'était la première fois qu'il la reprenait, même du regard. Anita rougit. Il raccompagna le vicaire à l'extérieur.

— Merci de votre visite, vicaire. Chus certain que ma femme va être plus en paix à l'avenir. Notre porte vous sera toujours ouverte, pis hésitez jamais à me d'mander service.

Antime Percheron sourit, bénit la maison de la main une dernière fois, et partit.

On était dans les grosses chaleurs d'été. La vie avançait dans une monotonie assommante. Hormidas continuait d'éviter Eva. Il allait travailler tous les matins chez le vieux forgeron, faisait les commissions et se couchait tôt. Eva et Anita, quant à elles, tenaient maison. Du moins, Anita en avait l'impression, rabâchant sans cesse qu'elle en faisait plus que nécessaire. Pourtant, elle passait la majorité de son temps couchée sur son lit à regarder le plafond. Eva cuisinait, cousait, frottait et voyait à presque tout. Au moins, ça l'aidait à faire passer le temps.

Soir après soir, le sommeil tardait à venir pour Eva, seule dans son lit. Alors elle se repassait les moments plaisants de sa journée.

Ça tournait souvent autour d'Hormidas. Son mari continuait d'être une curiosité pour elle. Elle l'observait pas mal, sans qu'il s'en aperçoive. Elle avait remarqué sa façon d'attraper sa tasse, jamais par l'anse. De rabattre son chapeau toujours de la même façon, sur son œil gauche. De s'accoter de la hanche à côté du poêle, quand il allumait sa pipe, ce qui faisait ressortir ses jambes musclées. De la contourner pour pas la toucher, devant l'évier. Ça passait proche, des fois, ce qui la faisait frissonner. Mais pas de dégoût, ça non. Juste comme une vague impression de jouer au chat et à la souris. Elle rêvait souvent à lui. Elle-même en restait surprise. À force de vivre dans la même maison que lui et à le regarder, elle en était venue à aimer son corps. Son œil patché lui donnait même un p'tit genre. Ça devait être ça, être viril. C'est vrai qu'il était toujours réservé, mais il faisait quand même tout pour qu'elle et Anita soient bien.

Les yeux fermés, Eva imaginait les bras de son mari se refermer sur elle, un jour qu'elle passerait trop proche. Elle aimait l'idée d'être protégée par lui, peut-être même d'être caressée… Elle l'imaginait jouant dans ses cheveux, en lui souriant tendrement. Peut-être qu'il l'embrasserait dans le cou ? Elle aimerait ça qu'il frôle sa peau avec ses doigts, même s'il revenait de la forge les mains crottées. Elle se demandait ce que ça ferait, d'être embrassée sur la bouche. De sentir sa chaleur à lui sur elle. Ou de sentir sa peau à elle sur lui ?…

Ça avait jamais été une femme charnelle, Eva. Mais à force de regarder aller son homme, elle s'était éprise de lui. Sa sensualité était en train de se réveiller, elle ressentait un désir, et puissant, à part de ça. Le soir, parfois, en rêvant d'Hormidas, ça la picotait entre les jambes. Ses seins devenaient durs. Alors, sans pudeur, sa main se promenait sous sa jaquette ; elle avait découvert comment calmer ses ardeurs.

Eva rêvait que son mari l'aimait et la désirait lui aussi, mais il y avait quand même un doute dans son esprit. Ça avait pas de bon sens qu'il ait jamais rien tenté en trois mois. Eva avait vaguement entendu parler des hommes qui aiment d'autres hommes. Léontine lui avait déjà raconté que son cousin était parti aux États parce que ses parents l'avaient vu embrasser un gars. Il avait carrément été chassé de leur maison. C'était inimaginable pour Eva, mais la chose arrivait parfois. Est-ce qu'Hormidas… ? Est-ce qu'il l'avait épousée pour sauver les apparences ? Il fallait qu'elle sache. Son corps voulait connaître l'amour. Son corps commandait.

Elle en était encore à se triturer l'esprit, ce soir-là, quand elle entendit Hormidas mettre de l'eau à bouillir sur le poêle. C'était le rituel de sa toilette. Il avait l'habitude de se laver à la serviette quand les femmes étaient couchées et qu'il était certain de pouvoir agir à son aise.

Dans son lit, Eva se redressa sur les coudes. L'idée de voir Hormidas flambette venait de la traverser. Est-ce qu'elle oserait se relever pour l'épier ?

Oh que oui.

Elle attendit qu'il s'en aille dans sa chambre à lui avec son pot à eau et sa bassine, puis elle sortit du lit et se faufila dehors. Il faisait nuit noire. Comme elle connaissait très mal les alentours de la maison, il fallait faire attention où elle mettait les pieds.

Elle contourna le coin de la bâtisse et se glissa jusqu'à la fenêtre de la chambre de son mari. Doucement, sur le bout des pieds, elle regarda à l'intérieur. Hormidas était là, entièrement nu. Elle resta surprise. C'était la première fois qu'elle voyait un homme en tenue d'Adam. Son regard se porta sur son membre. Toutes les femmes appelaient ça « une verge ». Elle avait pensé que ça pouvait mesurer trois pieds de long. Y aurait eu de quoi avoir peur.

Mais son membre était beau et son corps, invitant, avec sa peau veloutée. Il prit son savon, le mouilla dans l'eau de la bassine et commença à se laver. Il passa sur ses épaules, son torse, puis descendit vers son ventre. Son sexe tout à coup se redressa. La main d'Hormidas saisit lentement sa verge. Il prenait son temps, comme s'il savait qu'Eva le regardait. Son membre devenait de plus en plus dur. Hormidas entreprit de sa main un lent mouvement de va-et-vient, puis accéléra la cadence. Eva, dans la noirceur, retenait sa respiration en même temps que lui soufflait de plus en plus profondément. Elle battait même pas des paupières pour être sûre de rien manquer. Puis elle vit le visage de son mari se crisper avant de se détendre. Sur sa main coula sa semence.

Eva le détailla attentivement. Il était beau. C'était ça, un vrai homme.

Hormidas finit sa toilette et remit sa culotte avant de s'allonger sur son lit. Eva se sentait vide, épuisée d'avoir retenu son souffle, bouleversée par ce qu'elle avait vu. Quelque chose en elle se passait, mais elle aurait été ben embêtée de dire quoi.

Elle retourna dans sa chambre, se coucha, se mit en petite boule et s'endormit.

Les jours avançaient, comme avancent les minutes pour faire les heures. Rien ne se passait. Anita devenait de plus en plus grosse. Dans moins de deux mois, le petit serait là.

Une nuit, Eva, épuisée à force de chercher à comprendre ce qui retenait Hormidas loin d'elle, prit une décision fantasque : elle irait se glisser dans la chambre de son époux.

Il dormait paisiblement. Elle s'approcha du lit. Elle avait faim de lui, sa sensualité était à fleur de peau, même si elle ne savait pas comment l'expliquer. Elle devait savoir si elle espérait pour rien. S'il l'aimait pas, si Hormidas voulait pas d'elle... elle devrait faire avec. Elle oublierait tout au plus vite et resterait la vieille fille mariée sans amour.

Elle enleva sa robe de nuit, dénoua ses cheveux et, sans un bruit, se glissa sous les draps. L'homme remua légèrement. Elle sentait bien qu'il était réveillé. Pourquoi il réagissait pas ? Elle colla son corps nu près du sien. La chaleur de sa peau lui fit du bien. Elle empoigna doucement le sexe de son époux. Jamais elle n'aurait pensé faire une chose pareille, mais bon, aux grands maux les grands remèdes. Après tout, elle en avait le droit, ils étaient mariés.

— Eva, non..., dit-il en se tournant vers le mur.

— Non. Pas de non. Je veux que tu me prennes... J'te plais donc pas ? supplia Eva. Je suis ta femme, après toute.

Eva mettait cartes sur table parce qu'elle en pouvait pus. Elle avait rien à perdre.

Il se retourna encore, planta son regard dans ses yeux. La main d'Eva était toujours posée sur lui. Elle sentait la verge se gonfler sous ses doigts. C'était sans doute bon signe. Il allait la prendre, elle en était sûre. Ça effacerait trop de nuits de solitude.

Mais doucement, Hormidas repoussa sa femme. Il s'assit et tira le drap sur son membre dressé. Y avait jamais couché avec une femme, y savait pas comment...

Or, son corps à lui aussi lui parlait et le commandait.

Il attira soudainement Eva à lui par les épaules et l'embrassa farouchement. Ses lèvres étaient chaudes et humides. Elle ouvrit la bouche, l'invitant audacieusement à introduire sa langue en elle. Elle se laissa conquérir, se donnant complètement. Elle voulait être femme, sa femme. Ses mains s'accrochèrent à ses épaules...

Mais sans crier gare, Hormidas éloigna Eva une fois de plus. Il se leva d'un geste, attrapa la couverte pour couvrir son bas-ventre.

— Sors, Eva ! Va-t'en ! Chus juste qu'un homme ! Tu vas trop loin !

— Justement ! Prouve-le, que t'es un homme ! Je suis ta femme ! répéta Eva.

— T'as rien compris ! cria-t-il. T'as rien compris...

Eva le regarda durement. Hormidas reprit, d'une voix basse :

— J'ai l'goût de toé depuis la première fois que j't'ai vue, Eva... T'es tellement belle ! Ton corps va me rendre fou... Tu penses que j'te r'garde pas, mais c'est pas vrai. C'est juste qu'on peut pas...

On peut pas prendre le risque d'attendre deux bébés! Tu comprends-tu? S'il fallait que tu tombes enceinte... On gâcherait toute. On n'a pas le droit. Le p'tit qui arrive a pas à vivre ça.

Eva resta silencieuse. Elle était à la fois soulagée, chavirée par les attentions qu'Hormidas avait déjà envers le bébé, et un peu fâchée contre elle-même. Elle y avait même pas pensé, au risque de grossesse! Il avait raison. On pouvait pas.

Elle remit sa chemise de nuit. Lui, à regret, la regarda s'habiller. Il aurait tant voulu la sentir sous lui, il aurait tellement aimé la pénétrer et laisser dans son ventre sa semence. Mais il fallait attendre. Ils avaient pas le choix.

Elle se dirigea vers la porte.

— Reste, Eva. Je veux te prendre... au moins dans mes bras.

Eva hésita. Est-ce qu'ils pourraient s'abstenir? Elle revint vers le lit. Son mari se glissa sous les draps et lui tendit la main. Elle se coucha à ses côtés, se blottit contre son corps chaud.

Elle était bien. Enfin. Si bien qu'elle aurait voulu arrêter le temps. Hormidas la regarda tendrement, l'embrassa sur le front... mais il voulait pas attiser un feu qu'il pourrait pas éteindre.

— Tu te souviens-tu que je t'ai embrassée de même, la première fois? J't'aime, ma biche... Chus fou de toé, soupira Hormidas.

— Moi aussi.

Ce soir-là, Eva s'endormit dans la chaleur de son mari. Ils avaient tout à connaître l'un de l'autre. Tout à découvrir. Mais ils avaient le temps. Les jours à venir seraient moins sombres, peut-être même heureux. Hormidas la protégeait, lui avait dit qu'il l'aimait. Elle, pour sa part, l'avait compris depuis longtemps.

Arriva enfin septembre et le jour de la naissance. Les contractions étaient douloureuses. Anita pleurait sans arrêt. Eva voulut la calmer.

— Respire normalement... Bloque pas ta respiration. Ça va ben aller, Hormidas est allé chercher le docteur.

Anita regarda sa sœur.

— J'ai peur, Eva ! Toé, t'as-tu eu peur ?

Eva se revit cette nuit-là. Elle ressentit le froid de jadis lui pénétrer les veines. Son cœur se mit à battre la chamade. Toujours la même souffrance, toujours ce vide dans son ventre.

— Oui, j'avais peur. Mais toi, ça va ben se passer. Personne fera du mal à ton p'tit.

— Eva... je te l'ai jamais demandé... C'était un gars ou une fille ?

Eva devint toute crispée.

— Un garçon... mais je l'ai pas vu. On m'a pas laissée le voir, murmura Eva. Mais je suis certaine qu'il était beau comme un cœur.

On entendit la porte de la maison s'ouvrir, puis la voix du futur père.

— C'est par icitte, docteur, ma femme est dans' chambre...

Le docteur arriva près d'Anita. Rapidement, il leva son chapeau pour la saluer.

— Enchanté, madame Leblanc. Votre mari m'a dit que le temps était arrivé. C'est ben trop tôt. Il arrive ben vite, ce bébé-là !

Anita regarda Eva. Elle devait jouer le jeu, pour le petit.

— Oui, on a peur de le perdre. J'sais ben que c'est trop tôt, c'est pour ça que mon mari est allé vous chercher, dit la jeune fille.

— Vous êtes sa sœur ? s'enquit le médecin en regardant Eva. Hormidas m'a dit que vous êtes une aide dépareillée. Madame Leblanc a de la chance de vous avoir avec elle, surtout avec un prématuré qui arrive.

— On est inséparables comme les doigts de la main depuis qu'on est p'tites, confirma Eva en se retenant de montrer son émotion.

C'était un mensonge pieux... Eva aurait tellement aimé avoir une vraie complicité avec sa sœur.

Le docteur s'approcha d'Anita pour l'examiner.

— Laissez-moi voir… Le travail va ben, toute a l'air normal. Bientôt, vous serez mère, madame.

Anita avait les yeux baignés de larmes. Elle aurait voulu arrêter cette comédie. Dire à tout le monde que ce bébé était le sien et celui de Victor. Son Victor qu'elle arrivait pas à oublier. Durant tous ces mois, elle avait mûri. Pendant qu'elle laissait croire qu'elle se fichait de tout, elle avait appris à aimer l'enfant qui bougeait dans son ventre. Sentir la vie en dedans l'avait attendrie. Ce petit être était le sien. Son enfant à elle et à Victor.

Le sentiment maternel était venu sur le tard, mais il était venu quand même.

— Poussez, madame, poussez, dit le docteur. Et vous, allez me chercher de l'eau chaude… Apportez-en en masse!

Eva en avait fait bouillir tout l'avant-midi. Brusquement, elle entendit résonner dans sa mémoire la voix du docteur Patry:

« Va me chercher de l'eau pis des draps chauds… »

C'est là que sa mère était sortie de la chambre. C'est à ce moment-là que son fils était sorti de son ventre. Eva se rappelait l'odeur de chloroforme que Patry lui avait fait sentir. « Ça va te faire moins mal si t'es un peu étourdie », lui avait-il dit. C'est là qu'il avait dû étouffer son fils. Sa mère avait rien vu. Sa mère était pas là. Patry avait tout manigancé. Eva se sentit mal et dut s'asseoir quelques instants.

Au bout de deux heures de dur travail, Anita mit au monde une fille. Elle était si petite. On aurait dit qu'elle avait omis de grossir pour paraître avant terme. Quand l'enfant fut né, Eva la montra à Anita. À sa grande surprise, sa sœur la prit dans ses bras, la regarda tendrement et lui sourit.

— Mettez-la au chaud près du poêle, recommanda le docteur à Eva. Ouvrez la bavette du four pis mettez-la dans une boîte, sur la porte. Elle est pas grosse pour le temps, c'est normal. Il faut pas qu'elle prenne frette! Même si on n'est pas encore dans l'automne, c'est frisquette.

Eva s'exécuta.

— Aidez votre sœur à se laver, dit le vieux en la voyant revenir. Souvent, elles veulent juste ça après la délivrance. Elle a pas trop saigné, est ben chanceuse pour un premier.

Eva allait chercher du linge propre quand son regard croisa celui d'Hormidas, qui entrait dans la chambre. Les draps avaient été replacés sur les jambes d'Anita.

— Merci, docteur, je vais vous dédommager.

— Demain, monsieur Leblanc, demain ça va faire ! dit le docteur.

Aussitôt qu'il fut parti, Hormidas regarda attentivement le poupon. Anita tenait sa petite fille dans ses bras, serrée contre elle. On aurait dit qu'elle voulait pas la partager.

— Montre-la-moé, Anita ! demanda Eva.

Anita hésita un instant, puis elle lui passa lentement le nourrisson. Eva la regarda et, se dirigeant vers Hormidas :

— Je te présente ta fille… notre fille, dit Eva, en posant le bébé dans les bras de son mari.

Anita serra les poings. C'était la sienne, c'est elle qui venait de souffrir pour avoir cet enfant-là ! Son instinct maternel la faisait souffrir. Elle avait pensé, tous ces mois, que jamais elle aimerait ce bébé. Mais c'était le contraire qui arrivait. Elle voulait sa fille. Jamais elle la donnerait.

— Redonne-la-moé, asteure. Elle a besoin de sa mère, ordonna-t-elle.

Hormidas hésita, puis déposa la petite près d'Anita.

— Tiens-la au chaud pendant qu'on va y faire une place près du poêle, dit-il.

Eva n'insista pas. Sa sœur avait le droit de prendre son enfant. Elle, au moins, avait cette chance.

La nuit s'était bien passée. La petite buvait bien au sein et Anita la chouchoutait constamment. Les parents Audet avaient été avertis de la naissance de leur petite-fille par une lettre qu'Hormidas avait écrite et donnée au chef de la gare, pour qu'il la remette en main propre à Cléophas le plus vite possible. Deux jours plus tard, le père Audet arrivait à Saint-Vallier.

Au son de la voix de son père, Anita, occupée à bercer la petite Rosalie près du poêle, sursauta.

— Papa, qu'essé que vous faites là ?

— Ben... chus venu t'chercher ! Ça sert à rien que tu restes icitte plus longtemps. Hormidas pis Eva vont betôt plier bagage pour Saint-Charles avant de prendre le bord de Saint-Lazare, ça fait que toé, tu rentres à' maison avec moé, comme prévu.

Anita paniqua.

— J'peux pas partir de même ! La petite a besoin de mon lait !

Cléophas posa les yeux sur l'enfant. Elle était petite, mais bien faite. Et jolie en plus, blonde comme sa mère. C'était peut-être pas un petit gars, mais c'était pour sûr une petite Audet, une cinquième fille à aimer. Il était content et ému, le grand-père. Mais aussi, raisonnable et déterminé.

— Ils vont lui en donner une autre sorte, de lait, ça se fait souvent. C'est pas le premier bébé qui va avoir une mère tarie. Elle va être correcte.

Anita se sentait désespérée. Voyons donc, tout ça allait ben trop vite ! Comment faire comprendre à son père qu'elle avait changé d'avis ? Qu'elle voulait garder sa fille ?

— Eva, c'est pas sa mère. C'est moé, sa mère, c'est MA fille. C'est MA petite Rosalie !

Cléophas regarda Anita, avec dans les yeux un mélange de malaise et de pitié.

— Pense à ta fille, justement. Qu'essé tu veux qu'elle soit ? Une bâtarde ? Les gens auront pas pitié d'elle ! Souvent, les filles de même finissent sur les quais à Québec, pis c'est pas en servante de curé !

— Vous pouvez pas me faire ça ! Eva, j't'en prie, dis quelque chose !

Eva avait les yeux pleins d'eau. Elle souffrait autant que sa sœur.

— Ça suffit. Tu vas venir avec moé, comme prévu, s'emporta Cléophas. C'est quoi, c'te revirement-là ? Tu pensais quoi ? Que tu partirais t'établir avec eux autres ? Ou que tu reviendrais à' maison avec ton paquet ? Raisonne-toé, ma fille !

— Eva ! implora encore la jeune maman, dis-y, toé, que c'est ma fille ! Tu veux pas que je vive la même peine que toé, moé tou ?

Eva s'approcha et regarda Anita dans les yeux. Non, elle voulait pas que sa sœur souffre, mais elle voulait pas non plus que l'enfant subisse les fautes de sa mère. Entre les deux, elle choisit de protéger le nourrisson, c'était son destin. Il y avait de la détermination dans son regard. Elle prit Rosalie dans ses bras. Elle se sentait déchirée entre sa peine de ne pas avoir été la mère de son propre bébé et le besoin de protéger le nouveau-né. Elle colla la petite sur son sein. Rosalie se mit à geindre.

Puis elle regarda Hormidas, comme pour lui demander quoi faire. L'homme, solide et aussi déterminé que sa femme, trancha :

— Ramène-la, Cléophas, ramène-la chez vous, ta fille. C'est mieux d'même.

— Eva ! Tu laisseras pas faire ça ? supplia Anita.

Cléophas serra le bras de sa cadette pour la forcer à se calmer. Saisie, elle cessa aussitôt ses lamentations. Elle avait perdu. Son père lui fit signe de ramasser ses affaires. En passant près de sa sœur, Anita, l'air mauvais, la regarda droit dans les yeux.

— Tu l'emporteras pas au paradis. J'te l'dis, tu vas m'la redonner, ma fille. T'es rien qu'une sans-cœur… M'man avait raison. C'est ben faite qu'on t'ait violée. Tu mérites pas mieux, maudite garce.

Cléophas perdit patience pour une rare fois dans sa vie et gifla sa fille, surprenant tout le monde.

— J'devrais te laver la bouche avec du savon pour avoir dit pareille horreur ! Ta sœur pis son mari te sauvent la face. Tu leur dois gros, plus que tu penses !

Il saisit de nouveau Anita par le bras et se tourna vers son gendre :

— T'as raison, Hormidas. Anita doit partir. 'Est en train de virer folle. On va dire que c'est la peine de se séparer de l'enfant qui la fait déparler. Essayez de pas y en vouloir.

Eva, le cœur en miettes, monta à l'étage coucher Rosalie qui dormait déjà dans ses bras.

Le sort était joué.

Anita, anéantie, partit avec son père pour tenter de reprendre sa vie d'avant.

Eva, pour sa part, commença à vivre enfin son destin d'épouse et de mère.

Hormidas, accoté dans le cadre de la porte grande ouverte, attendait patiemment que sa femme redescende pour enfin être le mari qu'il avait toujours voulu être pour elle.

Remerciements

Aux gens de Bellechasse, et particulièrement à ceux de la Fourche, merci de m'inspirer et d'être ce que vous êtes, des personnes pleines de fierté et d'amour.

Merci à ma sœur Danielle, à qui l'on doit le très beau tableau qui représente la maison et la grange des Audet telles que je les imagine.

À Sophie, mon éditrice, et à l'équipe des Éditions de l'Homme, merci de votre patience et de votre amitié.

À Minou, mais lui, je l'ai personnellement remercié hier soir…

Suivez-nous sur le Web

Consultez nos sites Internet et inscrivez-vous à l'infolettre pour rester informé en tout temps de nos publications et de nos concours en ligne. Et croisez aussi vos auteurs préférés et notre équipe sur nos blogues !

EDITIONS-HOMME.COM
EDITIONS-JOUR.COM
EDITIONS-PETITHOMME.COM
EDITIONS-LAGRIFFE.COM
RECTOVERSO-EDITEUR.COM
QUEBEC-LIVRES.COM
EDITIONS-LASEMAINE.COM

Imprimé chez Marquis Imprimeur inc.